30일 철학공부
쇼펜하우어

30일 철학공부
쇼펜하우어

권영민 지음

30일 철학공부: 쇼펜하우어

발 행 | 2024년 4월 30일
저 자 | 권영민
펴낸이 | 한건희
디자인 | 권영민인문학연구소
펴낸곳 | 주식회사 부크크
출판사등록 | 2014.07.15.(제2014-16호)
주 소 | 서울특별시 금천구 가산디지털1로 119 SK트윈타워 A동 305호
전 화 | 1670-8316
이메일 | info@bookk.co.kr

ISBN | 979-11-410-8297-0

www.bookk.co.kr

서문

어떻게 하면 삶을 더 깊게 이해할 수 있을까요? 어떻게 하면 우리 자신과 세상 사이의 복잡한 관계를 이해하고 조율할 수 있을까요? 쇼펜하우어는 그의 철학을 통해 이러한 질문에 대한 답을 찾으려고 했습니다. 그는 인간의 본성과 사회적 상호작용에 대해 심도 있게 고찰하며, 삶의 의미와 가치를 탐구했습니다.

《30일 철학공부: 쇼펜하우어》은 쇼펜하우어의 철학을 한 달 동안 읽고 사색할 수 있는 도구입니다. 매일 하나의 조언을 읽으면서, 우리는 그의 깊은 통찰력을 접하고, 우리 자신을 더 잘 이해하게 될 것입니다. "나 자신을 알라"라는 그의 조언은 우리에게 용기를 주며, 우리 안에 있는 내적 세계를 탐험하고 받아들이도록 이끕니다.

이 책은 오늘날의 혼란스럽고 빠른 세상에서도 여전히 유효한 지혜를 제공합니다. 쇼펜하우어의 가르침을 따라가며, 우리는 새로운 관점을 찾고, 더 나은 삶을 살아갈 수 있습니다. 함께 이 책을 통해 쇼펜하우어와 그의 철학을 탐험해보시기 바랍니다. 그리고 그의 말들이 우리에게 미치는 영향을 체험해 보세요.

이 책은 세 파트로 구성되어 있습니다.

첫 번째는 "자기 이해"입니다. 여기서는 쇼펜하우어의 철학을 통해 우리 자신을 더 깊이 이해하는 방법에 대해 다룹니다.

두 번째는 "자기 실현"입니다. 여기서는 쇼펜하우어의 가르침을 토대로 우리가 원하는 삶을 실현하는 방법에 대해 살펴봅니다.

마지막으로 세 번째는 "자기 극복"입니다. 여기서는 어려움과 도전에 맞서면서도 내면의 힘을 발휘하여 더 나은 삶을 살아가는 방법을 탐구합니다. 함께 이 책을 통해 자기 이해, 자기 실현, 그리고 자기 극복의 여정을 시작해보세요.

2024년 4월 30일

권영민 드림

CONTENT

2부. 자기 실현

3부. 자기 극복

1부

Schopenhauer Insight

자기 이해

나 자신을 알라

•
•
•

Schopenhauer

"거울에 자신의 모습을 비춰볼 때, 영원히 낯선 사람의 시선으로 자신을 살필 수는 없다. 자신의 자의식이 '내가 보고 있는 건 또 다른 자아가 아닌, 나 자신의 자아야'라고 끊임없이 속삭이며 일깨워 주기 때문이다."

쇼펜하우어의 말처럼, 거울에 비친 모습은 언제나 낯선 사람의 시선으로 보이지 않습니다. 그러나 중년에 이르러 자신을 돌아보는 순간, 그 낯선 시선은 더 이상 외부에서 오는 것이 아니라 내면의 목소리로 다가옵니다. 중년은 나 자신을 깊게 파헤치고 알아가는 여정의 시작입니다.

청년 시절과 다르게 중년은 과거의 경험들과 미래에 대

한 기대와 고민이 교차하는 시기입니다. 이는 마치 거울에 비친 모습이 복잡하게 꼬여있는 선들처럼 보일 수 있습니다. 그렇지만 이 복잡한 선들이 의미 있는 패턴을 이루고 있는 것을 깨달았을 때, 나 자신을 이해하고 수용하는 기회가 열립니다. 이것이 중년을 위한 "나 자신을 알라"의 시작입니다.

쇼펜하우어가 말한 대로, 거울에 비친 모습은 또 다른 자아가 아닌 나 자신의 자아입니다. 중년에 우리는 과거의 실수와 성취, 자신의 가치관과 신념, 삶의 목표와 의미 등을 다양한 시각에서 살피는 기회를 얻게 됩니다. 이때 우리는 자신의 내면에서 끊임없이 속삭이는 목소리에 귀 기울여야 합니다. 자기 자신과의 소통은 내면의 진실을 발견하고 수용하는데 중요한 열쇠입니다.

중년에는 자신의 강점과 약점을 더 명확하게 인식합니다. 지나온 세월 속에서 성장하고 발전한 우리의 자아는 과거의 흔적들로 이뤄져 있으며, 이를 통해 나 자신을 더 깊이 이해할 수 있습니다. 자신의 강점에 대한 자부심과 약점에 대한 자각은 중년의 지혜를 형성하는 과정입니다.

또한, 중년은 미래에 대한 새로운 목표와 꿈을 찾는 시기이기도 합니다. 과거의 성과에 안주하지 않고, 계속해서 성장하고 발전하기 위해 노력하며 나 자신을 새롭게 발견하는 여정입니다. 거울에 비친 모습은 곧 미래의 가능성과 희망을 담고 있습니다.

중년에게 자신을 찾아가고 이해하는 것이 얼마나 소중한 과정인지 알려줍니다. 나 자신을 알아가는 여정은 끝없이 계속되지만, 중년에 이르러서야 더욱 풍요로워진 나 자신을 발견하고 활용하는 기회가 주어집니다. 거울에 비친 모습을 통해 나 자신을 알고, 그 안에서 나아가 더 나은 삶을 위한 길을 찾아갈 때, 중년은 나 자신을 알아가는 신비로운 여정의 시작입니다.

1. 자기인식을 추구하라

중년에는 자신의 내면을 깊이 이해하고 자기인식을 높이는 것이 중요하다. 거울을 통해 자기 모습을 비춰볼 때, 외부의 시선이 아닌 내면의 진실한 자아를 찾아가야 한다. 자기인식을 통해 자신의 강점과 약점을 알아내고, 이를 토대로 더 나은 삶을 살아갈 방향을 모색하게 된다.

2. 자유로움과 자기존중감을 추구하라

자기 자신을 알기 위해서는 외부의 기대나 사회적 압력에 휩쓸리지 않고 자유롭게 나아가는 데 중점을 둬야 한다. 중년에는 자기 자신에게 충실하며, 자기 존중감을 높이는 것이 중요하다. 다양한 경험과 도전을 통해 자기에 대한 자신감을 키우고, 자유로운 삶을 살아가면서 진정한 만족과 행복을 찾아 나갈 수 있다.

3. 성장과 변화를 활용하라

자기 자신을 알기 위해서는 계속해서 성장하고 변화하는 과정을 수용해야 한다. 중년은 삶에서 새로운 도약이 가능한 시기이며, 이를 통해 자신의 가능성을 최대한 발휘할 수 있다. 새로운 도전을 통해 나 자신을 끊임없이 발전시키고, 삶의 다양한 측면의 경험을 통해 더 풍요로운 삶을 만든다.

실천하지 않는 지혜는 자신을 옭아맨다

●
●
●

Schopenhauer

"지혜가 이론으로만 그치고 실천으로 이행되지 않는다면, 그 지혜는 화려하게 핀 장미에 불과하다. 아무리 농염한 색상과 짙은 향을 내뿜고 있어도, 시들어 버리면 씨앗조차 남기지 못하기 때문이다."

쇼펜하우어의 "지혜가 이론으로만 그치고 실천으로 이행되지 않는다면, 그 지혜는 화려하게 핀 장미에 불과하다. 아무리 농염한 색상과 짙은 향을 내뿜고 있어도, 시들어 버리면 씨앗조차 남기지 못하기 때문이다."라는 문장은 영원한 진리를 담고 있습니다.

우리는 많은 정보와 지식에 둘러싸여 살고 있습니다. 인터넷을 통해 어떤 지식이든 손쉽게 얻을 수 있고, 책을 통해 다양한 분야의 지식을 습득할 수도 있습니다. 하지만 이러한 지식만으로는 부족합니다. 그 지식을 실천으로 이어가는 것이 중요합니다. 그렇지 않으면 지식은 단순히 화려한 장미와 같아지고 맙니다.

중년이 되는 순간, 우리는 삶에 대한 지혜를 더욱 깨달을 수 있습니다. 지금까지 살아온 경험들로부터 배운 것들을 토대로 자신만의 지혜를 형성할 수 있는데, 이는 매우 소중합니다. 그러나 그 소중한 지혜를 실천하지 않으면 아무런 의미가 없게 됩니다.

실천은 지혜를 확인하고 검증하는 방법이기도 합니다. 우리는 이론적으로 알고 있는 것을 실천으로 테스트해 보아야 합니다. 그리고 이를 통해 얻은 결과를 다시 지혜로써 어디다 적용해야 하는지 판단해야 합니다. 이 과정을 거치지 않고 지식과 지혜를 그저 소비하는 것은 시들어가는 장미에 불과할 수밖에 없습니다. 그리고 시들어가는 장미는 단지 다른 장미들로부터 따온 씨앗을 남기지 못합니다.

그렇다면 내가 중년에 실천을 어떻게 할 수 있을까요? 먼저 실천 가능한 목표를 설정하고 그 목표를 달성하기 위해 행동해야 합니다. 그리고 그 행동을 지속적으로 유지하며 자신을 돌보고 발전시켜야 합니다. 그 과정에서 얻은 지혜들을 다시 실천으로 이어가야 합니다.

지혜가 이론으로만 그치고 실천으로 이행되지 않는다면, 그 지혜는 자신을 옭아맵니다. 중년에는 이러한 결론을 더욱 명확히 깨닫게 됩니다. 그래서 지식과 경험을 이용하여 실천으로 이어가는 것이 중요할뿐더러, 오직 그렇게 하면 나만의 화려하고 향기로운 장미를 피울 수 있습니다.

Schopenhauer Insight

1. 실천으로 지혜를 활용하라

중년에는 쌓아온 지혜를 이론으로만 간직하는 것이 아니라, 실제로 삶에 적용하고 행동으로 옮겨야 한다. 지혜는 삶의 문제를 해결하고 목표를 이루는 데에 도움이 되는 강력한 도구이지만, 이를 실천으로 이어나가지 않으면 그 가치는 제한적일 수밖에 없다.

2. 도전과 실패를 두려워하지 말라

중년은 자기계발과 변화를 위한 중요한 시기이다. 새로운 도전에 맞서고 실패를 겪는 것은 성장과 발전의 기회로 이어진다. 지혜를 실천으로 이어 나가기 위해서는 편안한 영역을 벗어나 도전에 나서는 용기가 필요하다. 실패는 단지 새로운 시도에서 얻은 교훈으로 살아가는 중요한 경험이다.

3. 타인과의 연결과 공유를 중요시하라

중년에는 자신의 지혜를 다른 이들과 공유하고 타인과의 연결을 강화하는 것이 중요하다. 경험과 지식을 나눔으로써 서로에게 도움이 되고, 또한 다른 이들의 경험과 지혜에서 학습할 수 있다. 지혜를 실천으로 옮기면서 동시에 타인과의 소통과 연결을 통해 더 풍요로운 삶을 만들어 나갈 수 있다.

누구나 자신의 산을 오르기 원한다

•
•
•

Schopenhauer

"사람은 누구나 자신의 산에 오르기를 꿈꾼다. 어떤 사람은 그 열망이 지나쳐 병이 되기도 한다. 산을 오르기란 사실 그렇게 어려운 일이 아니다. 단지 올바른 방법을 모르기 때문에 실패하기도 한다. 누구의 도전이 가장 영광스러울까? 한 번도 실패하지 않고 산꼭대기에 오른 사람에게는 좌절이 없다. 그래서 영광도 없다. 반면에 실패할 때마다 조용히, 그러나 힘차게 다시 일어선 사람에게는 영광이 주어진다. 그에게는 좌절을 떨치고 일어났다는 아문 상처가 새겨져 있으며, 절망의 끝이 어디쯤인지를 알고 있는 눈동자가 있기 때문이다."

쇼펜하우어는 인생의 여정을 산으로 비유하여 표현하면서 모든 사람들이 자신만의 목표와 꿈을 갖고 있다는 것을 알려줍니다. 그리고 그 꿈을 이루기 위해 노력하는 것은 산을 오르는 것과 같은 어려움과 도전을 함께 하고 있습니다.

특히 중년에는 많은 사람이 산꼭대기를 향해 오르는 열망을 더욱 강하게 느끼게 됩니다. 가족과 사회적 책임, 경제적 안정 등의 영향으로 인해 중년은 산을 오르기 위한 적절한 시기로 여겨집니다. 그러나 이러한 열망이 때로는 과도한 스트레스와 압박감을 초래할 수도 있습니다. 중년에는 많은 꿈과 염원을 안고 있지만, 이것이 도전과 실패를 겪을 수밖에 없다는 것을 깨닫게 됩니다.

중년에 도전하기 시작하는 사람들은 미비한 정보나 경험의 부족으로 실패할 수 있는데, 이는 산을 오르기 위한 올바른 방법을 모르기 때문입니다. 하지만 실패는 끝이 아닙니다. 올바른 지침을 얻고 다시 도전하는 것은 중요합니다. 중년에 산을 오르기 위해 필요한 것은 좌절하지 않고 계속해서 도전하는 의지와 새로운 것을 배워나가는 노력입니다.

성공을 거두는 사람에게는 큰 영광이 따르지만, 이는 종종 좌절 없이 일상적인 노력을 해 나가면서 이루어진 결과입니다. 그러나 반면에 중년에 실패하고 다시 일어나는 사람들은 그보다 더 큰 영광을 누릴 수 있습니다. 좌절을 극복하고 일어선 사람은 그 과정에서 많은 깨달음과 성장을 이루었기 때문입니다.

중년에 과거의 실패와 좌절을 새겨진 상처로 삼아, 새로운 도전에 다가가는 사람들은 절망을 넘어설 수 있는 강한 의지와 자기 통제력을 갖추고 있습니다. 그들은 한계와 어려움 앞에서도 흔들리지 않고 계속해서 꿈을 향해 나아가는 힘을 가지고 있습니다.

중년에 오르는 자신의 산은 고요하고 참된 만족감을 주는 여정입니다. 중년에 도전하고 성공 혹은 실패를 경험하며 익힌 지혜는 우리의 내면을 풍부하게 만들고, 생활을 보다 의미 있는 것으로 만들어 줍니다.

1. 목표를 향해 꾸준한 노력을 기울여라

중년에는 자신의 산, 즉 크고 중요한 목표나 꿈을 설정하고 이를 달성하기 위해 꾸준한 노력을 기울여야 한다. 오르는 과정에서 어려움과 실패가 찾아올지라도, 그에 대한 두려움에 맞서고 일관된 노력을 통해 목표를 향해 나아가는 것이 중요하다. 누구나 성공과 실패를 맞이하지만, 힘차게 다시 일어서는 자세로 끊임없이 노력하면서 성장의 기회를 찾아야 한다.

2. 실패를 두려워하지 말고 배움의 기회로 삼아라

중년에는 실패를 피할 수는 없지만, 그 실패를 좌절이 아닌 배움의 기회로 여겨야 한다. 성공이 아닌 실패에서도 교훈을 얻고, 어떤 측면에서 개선이 필요한지를 발견하며 성장할 수 있다. 올바른 방법을 모르기에 실패할 수도 있지만, 그 실패를 통해 새로운 경험과 인사이트를 얻어내는 능력이 중요하다.

3. 자아를 깨달아 깊이 있는 성장을 추구하라

중년에는 자아를 깨닫고 자신이 원하는 가치와 의미에 대해 깊이 생각하는 시간을 가져야 한다. 자기 내면과 소중한 가치에 더욱 연결되어 있는 인생의 목표와 방향을 찾는 것이 중요하다. 자아 깨달음은 좌절과 힘든 시기에서도 지속적인 동기부여와 내적인 힘을 주는 원천이 된다.

독서는 아름다운 행위이자,
나쁜 친구이기도 하다

•
•
•

Schopenhauer

"독서는 인간의 행동 양식 중 가장 아름다운 행위이지만 자기 내면에 숨겨진 감정을 표현하지 않는다면 진정한 독서라고 할 수 없다. 독서는 나를 표현하기 위한 일종의 자극이다. 자극만 받고 이를 표출하지 않는다면 언젠가는 그 자극에 무뎌진다. 이는 독서의 폐해라고 할 수 있다. 실제로 내 주변에는 책을 너무 많이 읽는 바람에 자기 자신을 잃어버린 사람이 있다. 책은 막강한 힘을 가진 권력자다."

중년에는 삶의 다양한 경험과 교훈을 통해 얻은 지혜를 더욱 풍부하게 쌓아 나가고 있습니다. 그 중에서도 독서는 우리가 내면에서 깊이 탐험하고, 외부 세계와 소통하는 유일무이한 방법 중 하나입니다. 쇼펜하우어의 말처럼 "독서는 인간의 행동 양식 중 가장 아름다운 행위" 중 하나이지만, 독서가 끌어주는 함정에 빠져 자기 자신을 잃어버릴 우려가 있습니다.

독서는 마치 자기 자신과 소통하는 친구와 같습니다. 책의 페이지를 넘기며 다양한 이야기를 읽음으로써 우리는 새로운 아이디어와 감정의 세계로 빠져들게 됩니다. 이 과정에서 독서는 우리에게 아름다운 상상력과 지적 호기심을 안겨주며, 어떤 면에서는 우리의 영혼에 깊은 울림을 줄 수 있습니다.

그러나 독서의 함정은 어디에나 숨어 있습니다. 쇼펜하우어는 "자극만 받고 이를 표출하지 않는다면 언젠가는 그 자극에 무뎌진다."고 경고합니다. 독서로 얻은 다양한 감정과 아이디어를 소화하지 않고 내면에서 표출하지 않는다면, 독서는 우리에게 도전이나 변화를 가져다주지 못하고 오히려 우리를 멍하게 만들 수 있습니다.

또한 독서는 어떤 면에서 나쁜 친구가 될 수도 있습니다. 책 속의 이야기에 빠져들면 현실에서 벗어나 책의 세계에 머무르게 되고, 그 결과로 현실에서의 삶과 관계에 소홀해질 우려가 있습니다. 내 주변에는 책에 너무 많은 시간을 할애한 나머지 자기 자신을 잃어버린 사람들이 있습니다. 독서는 막강한 힘을 가진 권력자이지만, 그 힘을 어떻게 활용하느냐에 따라 영향은 긍정적이든 부정적이든 갈릴 수 있습니다.

따라서 중년에는 독서의 아름다움을 경험하면서도 그 함정에 빠져 자기 자신을 잃어가지 않도록 주의해야 합니다. 독서는 우리의 내면을 탐험하고, 새로운 아이디어를 수용하며, 지적으로 성장하는 데에 큰 도움을 줄 수 있습니다. 그러나 동시에 현실과의 균형을 유지하고 독서로부터 얻은 영감과 지식을 실제 삶에 적용해야만 그 가치를 최대한 발휘할 수 있을 것입니다.

중년의 독서는 마치 예술 작품을 감상하듯 균형을 유지하면서, 독서로부터 영감을 받아 현실의 도전에 대처하고 자기 자신을 더욱 풍요롭게 만들어가는 여정이 되어야 합니다. 아름다운 행위이자 동시에 주의를 기울여야 할 친구로서, 독서는 중년의 성장과 인생의 다음 장을 위한 무한한 가능성을 제공합니다.

1. 감정을 표현하며 소통의 기회를 놓치지 말라

독서는 우리의 감정과 생각을 자극하는 유용한 도구일 뿐만 아니라, 이를 표현하는 연습의 기회를 제공한다. 중년에는 독서를 통해 끌린 감정을 솔직하게 표현하고, 그것을 주변과 소통하는 방법을 찾아야 한다. 자신의 감정을 표출함으로써 주변과의 관계를 더욱 깊이 있게 만들어 나가야 한다.

2. 독서로 얻은 아이디어를 실제 삶에 적용하라

독서에서 얻은 다양한 아이디어와 통찰력을 단순히 숙지하는 것이 아니라, 이를 실제 삶에 적용해보는 것이 중요하다. 중년에는 독서를 통해 얻은 통찰력을 자기 경험과 결합하여 새로운 관점과 행동으로 이어져야 한다. 독서가 자극만을 주고 표출하지 않는다면, 그 경험은 유용한 지식으로 전환이 어렵다.

3. 균형을 유지하며 현실 세계와 연결하라

책 안의 세계에 빠져있는 동안 현실 세계와의 연결을 유지하는 것이 중요하다. 독서는 아름다운 행위이지만, 그 안에서만 살아가면 현실과의 연결을 잃게 되어 자기 자신을 잃어버릴 우려가 있다. 중년에는 독서로부터 얻은 지식과 영감을 현실의 도전에 대처하고, 자기 자신을 발전시키는 데에 활용하며 균형을 유지해야 한다.

가장 큰 고난은 아무런 노력을
하지 않는 것

●
●
●

Schopenhauer

"인생에서 가장 큰 고난은 우리가 얻고자 노력하지 않았다는 데 있다. 무언가를 얻기 위해 장애물을 뛰어넘거나 치우려고 하지 않았다는 데 있다. 그것이야말로 우리의 앞날을 가로막는 고난의 정체였다. 인내를 그대의 의복으로 삼아라. 의복을 벗고 다니는 것이 부끄러워지리라. 인내를 벗지 않는다면 수치를 당할 일도 없으리라. 신념을 그대의 양식을 삼아라. 육신의 굶주림으로 고통받지 않게 되리라. 신념을 잃은 인간처럼 불행한 인간은 없다. 실패하고 낙오하는 자들은 대개 참을성이 부족하거나 신념을 갖지 못하고 이리저리 흔들렸던 사람들이다."

인생에서 가장 큰 고난은 우리가 얻고자 노력하

지 않았다는 사실입니다. 이는 우리가 무언가를 얻기 위해 장애물을 뛰어넘거나 치우려고 하지 않았다는 것을 의미합니다. 이러한 사실은 우리의 앞날을 가로막는 어려움의 근본적인 원인입니다.

중년에는 종종 노력을 꺼리고 편안한 삶을 추구하는 경향이 있습니다. 그러나 이러한 태도는 중년에 진정한 만족과 성장을 경험하는 것을 방해합니다. 중년은 계속해서 발전하고 성취를 이루어나가는 과정입니다. 따라서 노력 없이 중년 시기를 보내는 것은 큰 고난을 초래할 수 있습니다.

첫째로, 중년에는 신체의 변화와 건강 문제가 자주 발생합니다. 이는 노화로 인한 것이며, 이를 무시하고 편안한 삶을 즐기기 위해 아무런 노력도 하지 않는다면 건강은 점점 악화될 것입니다. 중년에 건강을 유지하고 개선하기 위해서는 꾸준한 운동과 올바른 식습관을 유지하는 것이 필수입니다. 이를 위해서는 나태함을 멀리하고, 꾸준한 노력을 해야 합니다.

둘째로, 중년은 경력 관련 문제를 겪을 가능성이 높은 시기입니다. 이는 경력의 정점을 맞이하여 더 큰 업적을 달성하거나 새로운 도전을 하는 시기이기도 합니다. 그러나 중년에는 안정과 안락함에 빠지기 쉽습니다. 일과 관련된 스트레스와 압박 속에서 자신의 역량을 발휘하기 위해 노력하는 것은 중요합니다. 더 나은 직장 생활을 위해 새로운 기술을 배우고 성장해가는 것은 중년의 가장 큰 고난을 극복하는 방법이 됩니다.

마지막으로, 중년은 가정과 가족 관계에서 변화를 경험할 시기입니다. 자녀의 독립과 부모의 노화로 인한 변화는 중년에게 큰 고난으로 다가옵니다. 그러나 중년은 가정과 가족을 중시하는 시기이기도 합니다. 이를 위해서는 자녀와의 소통과 이해를 바탕으로 변화를 받아들이고 새로운 관계를 형성해 나가는 것이 필요합니다.

중년은 우리에게 큰 고난과도 같은 시기입니다. 우리가 아무런 노력을 하지 않는다면 성장과 성취에서 멀어질 수 있습니다. 신체, 직장, 가정에서의 변화는 우리의 노력이 필요합니다.

1. 목표를 정하고 노력하라

중년에 있어서는 명확하게 정의된 목표를 가지고 노력하는 것이 중요하다. 본문에서 강조한 것처럼 우리가 얻고자 하는 것을 명확히 하고, 그 목표를 향해 노력하며 장애물을 극복하는 자세가 중요하다. 중년은 새로운 목표를 설정하고 이를 달성하기 위해 노력하는 시기이다.

2. 인내와 신념의 가치를 이해하라

중년에는 인내를 가지고 어려움을 극복하며, 목표를 향해 끈질기게 노력하는 데 중점을 둬야 한다. 또한, 자신의 신념을 지키며 윤리적이고 의미 있는 삶을 살아가야 한다. 이는 행복과 만족감을 찾는데 기여한다.

3. 실패와 참을성을 길러라

쇼펜하우어는 실패와 낙오는 주로 참을성 부족이나 신념을 잃은 결과라고 설명한다. 중년에게는 어떤 어려움이든 참을성을 가지고 이겨내는 데에 중점을 두어야 한다. 실패는 성공의 길에 놓이는 자연스러운 장애물일 뿐, 참을성을 갖고 계속 나아가는 중년은 더 큰 성공을 이룰 수 있다.

행복은 수단으로 얻지 못한다

•
•
•

Schopenhauer

"행복은 수단을 통해 달성되지 않는다. 어떤 목표를 향해 의지의 실천을 했을 때 길의 중간에서 우연찮게 얻은 풀 한 모금 같은 것이다. 깃발이 꽂혀 있는 종점에 행복이라는 단어가 새겨져 있다면 그것은 진정한 행복이 될 수 없다. 그 깃발을 손에 넣기 위해 어디선가, 누군가와 무엇인가를 실천하고 있다면, 그의 삶은 진정한 행복을 만끽하지 못하게 될 것이다."

　　　행복은 어떤 목표를 향한 의지의 실천에서 나오지 않습니다. 중년에게 더욱 중요한 진리 중 하나입니다. 인생은 종종 우연과 여정의 중간에서 찾아진 작은 순간들로 가득합니다. 쇼펜하우어가 비유한 대로, 길의 중간에서 우연히 찾은 풀 한 모금처럼 가치 있는 순간들이 우리에게 행복을 안겨주기도 합니다. 중년에 이르면서 목표를 향해 달려가는 것이 중요하지만, 그 목표가 달성되지 않았다고 해서 우리의 삶이 행복에서 멀어진다는 것은 아닙니다.

종점에 도달했을 때 깃발이 꽂혀 있는데 '행복'이라는 단어가 새겨져 있다면, 그것은 우리가 바라는 진정한 행복일까요? 종점에 도달했을 때 얻은 행복은 종종 순간적이고 허무합니다. 목표 달성에 대한 성취감은 금방 사라질 수 있습니다. 그렇다면 우리가 추구해야 할 것은 목표의 종착점이 아니라, 그 목표를 향해 걸어가는 여정의 가치일 것입니다.

중년에 우리는 자주 회고하게 된다. 지난 날의 성취와 실패, 그리고 아직 이루지 못한 꿈들을 돌아보게 됩니다. 그러나 이때 우리가 중시해야 할 것은 목표를 향해 나아가는 여정에서 오는 성장과 경험입니다. 목표를 향해 나아가는 동안 우리는 새로운 지식을 얻고, 새로운 인연을 만나며, 내면의 성장을 이루게 됩니다.

그리고 이러한 여정에서 찾은 작은 행복들이 진정한 행복의 원천이 됩니다. 어떤 목표를 향해 의지의 실천을 하는 것이 아니라, 여정 속에서 우연히 찾은 풀 한 모금처럼 우리는 감사하게 여겨야 합니다. 행복은 종착점이 아니라, 여정 속에 있고, 그 여정 자체가 가치 있기 때문입니다.

이러한 관점에서 중년은 특히 풍요로운 시기입니다. 과거의 경험을 쌓아 올린 우리에게는 목표를 향해 나아가는 여정에서 얻을 수 있는 행복의 가치를 더욱 깨닫게 됩니다. 중년에 우리는 무기력함과 우울감을 느낄 때가 많습니다. 그러나 이것은 목표 달성의 실패가 아니라, 여정을 더 깊이 이해하고, 여정 속에서 찾은 작은 행복들을 더 극적으로 경험하고자 하는 욕구입니다.

인생은 길이며, 목표는 단지 그 길을 가는 동안 우리에게 주어진 가이드입니다. 중년에 우리는 목표의 종착점이 아닌, 여정 속에서 찾은 작은 행복들에 눈을 뜨며, 그 가치를 깨닫게 됩니다.

1. 인생의 한계를 깨닫자

중년에는 지금까지의 삶에서 설정한 목표들을 달성하고자 노력해왔다. 그러나 쇼펜하우어의 주장처럼 목표 달성만으로는 진정한 행복을 얻을 수 없다는 깨달음이 중요하다. 중년은 지난 목표들을 돌아보고, 그것이 가져다 준 행복이 얼마나 지속적이었는지를 심층적으로 고민하는 시기이다.

2. 인생 여정에서의 의미가 중요하다

중년은 목표 달성에 대한 야망을 넘어 여정 자체에 중점을 두어야 한다는 깨달음을 갖는 시기이다. 삶은 단순히 목표를 향해 나아가는 것이 아니라, 그 여정에서 얻게 되는 경험과 성장이 행복의 핵심이라는 인식이 중요하다. 중년은 목표 설정에만 급급해 왔던 시간을 돌아보는 시기이다.

3. 외부의 성공과 내적 충족의 차이를 알자

쇼펜하우어는 외부적인 성공이나 목표 달성만으로는 진정한 행복을 이룰 수 없다는 점을 강조한다. 중년은 외부의 성공과 내적 충족의 차이를 명확히 이해하게 되는 시기이다. 목표를 향한 의지의 실천이나 성공은 일시적인 기쁨을 가져다주지만, 진정한 행복은 내면에서 비롯되며 외부 것들로는 채워지지 않는다는 인식이 중요하다.

인간다움은 사유(思惟)로 완성된다

•
•
•

Schopenhauer

"인간성이란 인간다운 기능이다. 인간의 기능은 생식, 감각, 사유로 나뉜다. 생식은 식물도 하는 일이며, 감각은 동물에게도 있다. 하지만 사유는 오직 인간에게만 내재된 기능이다. 사유를 통해 인간은 인간다워지고, 사유를 인생의 본질로 삼았을 때 인간은 가장 인간다워진다. 따라서 행복은 사유다. 생각하며 사는 것이야말로 선한 삶이고, 삶을 생각하는 것이야말로 가장 행복한 순간이다."

중년에는 삶의 여러 측면에서 다양한 경험을 쌓아왔습니다. 이때, 우리의 존재를 둘러싼 가치와 의미를 다시 생각해보는 것은 중요한 시기입니다. 쇼펜하우어는 "인간다움은 '생식, 감각, 사유' 가운데 사유로 완성된다."

고 말했습니다. 이 말은 중년에 우리가 진정한 인간다움을 찾아가기 위해 사유의 역할에 주목해야 한다는 적절한 단서를 제공합니다.

우선, '생식, 감각, 사유'는 인간의 기능을 대표합니다. 생식은 우리가 존재하고 이어져갈 수 있는 근본적인 기능으로, 이는 동물과 식물에게도 공통된 특성입니다. 감각은 환경과 소통하는 데 필수적이며, 동물도 공유하는 능력입니다. 그러나 사유는 오직 인간에게만 주어진 특별한 능력입니다. 쇼펜하우어는 이 중에서 사유를 강조하여, 인간다움의 완성은 사유를 통해 이루어진다고 강조했습니다.

중년에는 이미 생식과 감각의 측면에서 다양한 경험을 쌓아왔습니다. 가족을 이뤄나가고, 주변 환경과 소통하며 세상을 둘러싼 다양한 감각을 경험했습니다. 이러한 경험들은 우리를 더 풍부하고 성숙한 존재로 만들어주었습니다. 그러나 이제 우리에게는 사유를 통한 깊은 생각과 인생의 본질에 대한 탐구가 필요합니다.

쇼펜하우어의 말처럼, "행복은 사유다"를 인정합니다. 중년은 삶을 돌아보고 미래를 대비하는 시기입니다. 이때 사유를 통해 인생의 의미와 목표를 깊이 생각하고 이해하는 것이 중요합니다. 생각하며 사는 것이 선한 삶을 만들어 내고, 삶을 생각하는 것이 가장 행복한 순간을 만들어 낼 수 있습니다.

중년에 사유의 역할을 이해하고 받아들이면, 우리는 자신의 가치와 목표를 새롭게 발견할 수 있습니다. 삶의 방향을 명확히 하고, 그에 따라 행동하는 것은 중년의 인간다움을 높이는 한 방법입니다. 또한, 다양한 경험을 통해 얻은 지혜를 바탕으로 주변과의 소통을 더욱 깊이 있게 이루어낼 수 있습니다.

1. 사유를 통한 깊이 생각하고 목표를 설정하라

중년에는 사유를 통해 깊은 생각을 하고 자기 삶에 대한 목표를 설정하는 것이 중요하다. 생식과 감각은 이미 다양한 경험을 통해 충분히 발전해 왔지만, 사유를 통한 철저한 자기탐구를 통해 더 높은 수준의 목표를 세울 수 있다.

2. 생각하며 사는 미덕을 실천하라

행복은 사유에 있다고 말한 것처럼, 중년은 생각하며 살아가는 것이 선한 삶을 이루는 핵심이다. 사유를 통한 깊은 이해와 철저한 논리적 사고는 삶의 매 순간을 보다 의미 있게 만들어준다. 중년이면서 더욱 깊이 생각하고 행동하며, 자기반성과 지혜를 바탕으로 한 미덕의 삶을 실천해 나가야 한다.

3. 삶의 목표에 대한 심층적으로 이해하라

인생의 본질로서 사유를 받아들인다면, 중년은 삶의 목표에 대한 심층적인 이해를 향해 나아갈 때다. 사유를 통해 찾아낸 삶의 의미와 목적은 중년에 도달한 우리에게 새로운 에너지와 열정을 부여하게 된다. 또한, 삶을 생각하는 것이 행복한 순간이라면, 중년은 각 순간을 최대한으로 즐기고 향기롭게 채워나가는 것이 중요하다.

악인은 먹고 마시기 위해 산다

•
•
•

Schopenhauer

"소크라테스는 살기 위해 먹고 마시는 사람이 되라고 가르쳤다. 먹고 마시기 위해 사는 것은 악인이라고 했다. 소크라테스가 죽은 후 세상은 먹고 마실 것이 더욱 많아졌고, 그럴수록 인간은 먹고 마시는 것에 더욱 집착하게 되었다. 그대 젊은이들이여, 역사와 그대들이 기억하는 영웅들이 걸어온 길을 보라. 그들의 삶은 고통의 입구에서 출발했고, 자기희생의 강요를 통해 완성되었다. 자기를 희생할 줄 아는 사람만이 훗날 영웅으로 불리게 되었다. 젊은이들이여, 돈과 명예에 한 번뿐인 삶을 팔지 말라."

소크라테스는 살기 위해 먹고, 마시는 사람이 되라고 가르쳤습니다. 그러나 그것이 먹고 마시기를 위해 사는 것보다 높은 가치를 추구하라는 의미를 담고 있습니다.

중년은 삶에 대한 목표를 다시 고민해봐야 할 때입니다. 먹고 마시기는 삶의 필수 요소일지라도, 그 이상의 의미 있는 가치를 찾는 것이 중요합니다.

쇼펜하우어는 소크라테스가 죽은 후에도 세상이 먹고 마실 것으로 더욱 풍부해졌다고 말합니다. 그러나 그 변화에 따라 인간은 먹고 마시는 것에 더욱 집착하게 되었다는 것을 경고합니다. 중년은 자신이 무엇에 집착하고 있는지 돌아보는 시기입니다. 먹고 마시는 것이 삶의 목표가 되어서는 안 되며, 더 큰 가치를 찾아 나가야 합니다.

역사 속 영웅들은 고통의 입구에서 출발하며, 자기희생을 통해 완성되었습니다. 중년에 이르러서는 자기 삶이 어떤 희생을 통해 더 풍요로워졌는지를 돌아보는 것이 중요합니다. 어떤 분야에서든 훌륭한 영웅들은 자기를 희생하여 성취한 결과입니다. 중년은 이러한 역사적 교훈을 통해 자신의 목표를 재정립하고, 높은 목표를 향해 나아가야 하는 시기입니다.

쇼펜하우어는 돈과 명예에 한 번뿐인 삶을 팔지 말라고 조언합니다. 중년은 이미 여러 경험을 통해 돈과 명예만으로는 삶의 깊은 의미를 찾기 힘들다는 것을 알고 있습니다. 이 시점에서는 자신이 돈과 명예에 얼마나 의존하고 있는지를 돌아보며, 더 큰 가치를 추구해야 합니다. 중년의 목표는 자기를 향한 성취보다는 더 큰 가치에 기여하는 것이어야 합니다.

중년은 먹고 마시기를 넘어서서 자기 삶에 높은 목표를 세우고 실현해 나가야 하는 시기입니다. 소크라테스와 쇼펜하우어의 조언은 중년에게 먹고 마시기보다는 더 큰 가치와 목표를 추구하라는 깊은 지혜를 전합니다. 중년은 자신의 삶을 돌아보고, 더 의미 있는 방향으로 향해 나가는 결실을 맺어야 합니다. 이를 통해 중년은 자아를 찾아가며 더 풍요로운 인생을 살아갈 것입니다.

Schopenhauer Insight

1. 내적 성장과 풍요로운 삶의 탐험하라

중년은 먹고 마시기를 넘어서 자아의 깊은 곳에서 출발하는 시기다. 먹고 마시는 것에만 집착하는 것이 아니라, 자신의 역량을 키우고 높은 목표를 향해 나아가는 것이 중요하다. 삶은 계속해서 변화하고 발전해야 풍요로움을 느낄 수 있다.

2. 자기희생과 희망을 통한 긍정적인 영향을 끼쳐라

쇼펜하우어는 영웅이 되기 위해서는 자기를 희생할 줄 알아야 한다고 말한다. 중년은 자기희생과 희망을 통해 긍정적인 영향력을 키우는 시기다. 먹고 마시기를 넘어서 자신을 희생하며 주변에 긍정적인 변화를 가져오는 방법을 찾아 나가야 한다. 자기희생은 훗날 영웅으로 불릴 수 있는 길이다.

3. 돈과 명예에 대한 삶의 가치 재정립하라

쇼펜하우어는 돈과 명예에 한 번뿐인 삶을 팔지 말라고 조언한다. 중년에는 돈과 명예만이 삶의 가치를 결정하지 않는다는 것을 깨달아야 한다. 가족, 친구, 사랑, 문화, 예술 등 삶의 다양한 영역에서 더 풍요로운 가치를 찾아 나가는 것이 중요하다.

욕심은 깨진 항아리와 같다

●
●
●

Schopenhauer

"가진 자는 더 많은 것을 가지려고 탐욕에 길들여지고, 이름을 얻은 자는 그 이름 앞에 굴복하는 이름들을 늘리려고 무고한 희생을 계획하게 되는 법이다. 가진 자는 빼앗김을 두려워하고, 이름을 얻은 자는 기억되지 못함을 두려워하며 산다. 가진 자의 관심은 가진 것들을 향하고, 이름을 얻은 자의 관심은 그의 이름에만 갇혀버리게 되는 것이다. 그런 자의 영혼은 비워진 항아리와 같아서 겉으로보기에는 속이 어두워 그 안에 무엇이 들어있을 것이라고기대하게 만들지만 직접 손을 뻗어 더듬어 보면 차가운옹기그릇에 손가락이 아릴 뿐이다."

중년에는 가진 것을 더욱 늘리려는 탐욕에 사로잡히게됩니다. 소유와 풍요로움, 사회적 지위의 중요성이 커짐에 따라 많은 사람은 욕심에 휘말리게 되고, 끝없이 더 많은 것을 추구하게 됩니다. 이로 인해 욕심의 함정에 빠져 무언가를 얻음으로써만 행복을 느낄 수 있다고 생각하게 되는데, 이는 마치 깨진 항아리와 같이 비어있는 삶을 의미합니다.

또한, 빠르게 변하는 현대 사회에서는 이름과 명예에 대한 탐욕이 더욱 강화되고 있습니다. 이름을 얻은 자는 그 이름에 굴복하고, 그 이름을 더욱 크게 만들기 위해 무고한 희생을 감수하게 됩니다. 중년에는 자신의 이름과 지위에 과도하게 집착하게 되며, 그로 인해 정작 중요한 가치들을 소홀히 할 수 있습니다.

이러한 욕심과 탐욕의 삶은 결과적으로 영혼을 허무하게 만듭니다. 소유와 이름에 대한 집착은 마치 비워진 항아리와 같은 영혼을 만들어내어, 겉으로 보기에는 화려해 보이지만 속은 차가운 공허함에 가득 차 있습니다. 그러나 중년은 이러한 욕심의 함정에서 벗어날 기회를 갖게 됩니다. 중년에 다다르면서 우리는 가치와 의미 있는 것들에 더욱 집중하고, 행복과 만족을 찾아가기 위한 진정한 여정을 시작할 수 있습니다. 깨진 항아리에서는 새로운 발견과 의미 있는 것들이 숨어 있습니다.

중년에는 더 깊은 의미와 정신적인 풍요로움을 찾아가야 합니다. 탐욕과 욕심에 사로잡히는 것이 아니라, 어떻게 더 나은 사람이 되고, 주변과의 관계를 향상시키며, 내적인 평화를 찾아가는 방향으로 삶을 향해 나가야 합니다.

중년에는 욕심과 탐욕의 함정을 떠나, 비워진 항아리와 같은 영혼에서 벗어나는 기회를 갖습니다. 중년은 깨진 항아리에서 찾아나가는 여정을 통해 더욱 풍요로운 정신적인 삶을 살아갈 수 있을 것입니다. "욕심은 깨진 항아리와 같다"는 쇼펜하우어의 교훈은 중년에게 더욱 의미 있는 방향으로 해석하며, 인생의 새로운 장점을 열어갈 수 있는 시점으로 삶을 여기며 나아가야 합니다.

1. 정신의 풍요로움과 만족을 추구하라

삶에서 욕심의 함정에 빠지기 쉬운 중년에게는 정신의 풍요로움과 만족을 추구하는 것이 중요하다. 깨진 항아리와 같은 영혼을 피하려면, 물질적인 소유뿐만 아니라 내면에서의 풍요로움을 찾고, 자신의 가치와 신념을 깊게 살펴보고, 물질적인 욕망보다 마음의 평화와 만족을 중시해야 한다.

2. 자기실현을 위해 노력하되 균형을 유지하라

이름에 얽매이고 무작정 탐욕을 쫓는 것이 아니라, 중년은 자기실현과 성취를 위해 노력하는 동시에 균형을 유지해야 한다. 자신의 이름을 더 크게 만들기 위해 희생하는 것이 아니라, 자기실현의 과정에서 주변에 봉사하고 공헌하는 방식으로 더 큰 만족과 성취감을 찾아야 한다. 균형을 유지함으로써 깨진 항아리에서 벗어날 수 있다.

3. 본질에 집중하고 지금을 즐기며 살아가라

가진 것에만 집중하는 것이 아니라, 삶의 본질에 주목하고 지금을 즐기며 살아가는 것이 중요하다. 중년은 과거의 후회나 미래의 불안에 휩싸이지 않고 현재에 집중하며, 가진 것이 아니라 경험과 인간관계에 가치를 두어야 한다.

어리석음을 피하지 말고 마주하라

•
•
•

Schopenhauer

"내가 진정으로 바라는 것은 마주침이다. 어둠 속에서 나를 노려보는 공포와 마주침, 나를 경악하게 만드는 나 자신의 숨겨진 의지와의 마주침, 내 삶에 아직도 행복이 남아있다고 확신하는 어리석음과의 마주침, 그리고 이 세계의 숨겨진 진실과의 마주침이다. (…) 나는 의존하려는 생각을 소멸시키기 위해 나는 철학이라는 약을 마셨다."

인생의 여정은 어둠과 빛, 두려움과 용기의 교차점입니다. 그는 마주침을 피하지 말고, 특히 어리석음과 대면을 통해 진정한 성장과 행복을 찾아야 한다는 주장을 제시합니다.

어둠 속에서 나를 노려보는 공포와의 마주침은 우리 삶

에서 피할 수 없는 현실입니다. 중년에는 더 많은 책임과 압력을 안게 되고, 미래에 대한 두려움이 더욱 현실적으로 다가옵니다. 그러나 쇼펜하우어는 이러한 어둠을 피하지 말라고 조언합니다. 오히려 그 어둠과 대면함으로써 우리는 더 강해지고 성숙해질 수 있습니다. 두려움을 이겨내는 과정에서 우리는 자아를 발견하고, 내면의 힘을 깨닫게 됩니다.

중년에는 과거의 선택과 행동을 회고합니다. 이 때 숨겨진 욕망과 의지가 우리를 경악하게 만들 수 있습니다. 그러나 쇼펜하우어는 이것 역시 마주쳐야 할 과제라고 말합니다. 자기 자신의 내면과 솔직하게 대화하며 숨겨진 욕망에 눈을 뜨고, 그것을 받아들이는 용기를 가져야 합니다.

내 삶에 아직도 행복이 남아있다고 확신하는 어리석음과 마주침은 나이가 들면서 자주 느끼게 되는 감정 중 하나입니다. 쇼펜하우어는 이를 어리석음이라고 칭하지만, 동시에 이것이 특별한 가치를 지니고 있다고 말합니다. 중년에도 여전히 행복을 추구할 권리가 있으며, 어리석은 낙관주의는 우리를 더 나은 삶으로 이끌어갑니다.

마지막으로, 세계의 숨겨진 진실과 마주침, 즉 인생의 본질에 대한 탐구입니다. 쇼펜하우어는 철학이라는 약을 마셨다고 말하며, 이는 우리가 생각에 의존하는 것을 벗어나 진실을 찾기 위해 깊이 고민하고 탐구해야 한다는 메시지로 해석될 수 있습니다. 중년에는 단순한 생존이 아니라 진정한 의미를 찾고자 하는 욕구가 더욱 강해집니다. 세계와 자아에 대한 깊은 이해를 통해 우리는 보다 풍요로운 삶을 살아갈 수 있습니다.

1. 어둠 속의 공포와 마주하라

중년에는 어둠 속에서 나를 노려보는 공포들과 대면하는 용기를 가져야 한다. 쇼펜하우어는 이를 두려워하지 말고 마주치라고 말하며, 어떠한 어려움에도 뒤처지지 않고 이겨내는 강인한 내면을 갖추어야 한다고 조언한다.

2. 내면의 의지와 대면하라

자기 자신 안에 숨겨진 의지와 마주치는 것은 중요한 성장의 기회다. 중년에는 과거의 선택과 행동에 대한 회고를 통해 숨겨진 욕망과 의지에 대한 인식해야 한다. 나 자신과 솔직하게 대화하며 내면의 욕망을 받아들이고 향상시키는 데에 중점을 두어야 한다. 이를 통해 우리는 자기인식을 높이고 더 나은 삶을 설계할 수 있다.

3. 행복을 찾는 어리석음과 대면하라

중년에도 여전히 행복을 찾는 것은 중요한 목표다. 어리석은 낙관주의를 통해 삶의 긍정적인 측면을 강조하고, 세상에 대한 순수한 믿음을 유지해야 한다. 과거의 경험에서 흔들리지 않고, 여전히 행복이 가능하다고 믿는 것은 중년의 어떤 어리석음일지도 모른다. 이런 낙천적인 마음가짐은 중년의 도전과 어려움에 대항하는 데에 큰 힘이 된다.

2부

Schopenhauer Insight

자 기 실 현

절망 없이 기쁨도 없다

•
•
•

Schopenhauer

"머나먼 항해를 떠난 배는 바다에서 풍파를 만난다. 풍파 없이 배가 항구에 닿을 수는 없다. 그래서 시련은 전진하는 자의 벗이다. 절망에서 생의 기쁨을 만나게 되는 것이다. 파도가 치지 않는 바다처럼 지루한 것이 또 있을까."

인생은 어린 날의 꿈을 안고 머나먼 항해를 떠난 배와 같습니다. 그러나 이 여정은 풍파와 마주하기 마련입니다. 바다에서 풍파 없이 배가 항구에 닿을 수는 없습니다. 중년에 다가가면서 느끼는 시련, 절망, 기쁨의 복잡한 감정들을 살펴봐야 합니다.

중년에는 한 가지 확실한 것을 깨닫습니다. 시련은 전진하는 자의 친구입니다. 어린 시절의 미처 알지 못한 어려움들이 중년에 등장합니다. 가족, 직업, 건강 등 다양한 측면에서 도전은 마치 바다의 풍파처럼 우리의 항해를 어렵게 만듭니다. 그러나 이 시련들은 우리를 성숙하게 만들고, 더 나은 방향으로 나아가게 하는 원동력입니다.

중년에는 예상치 못한 돌풍에 휘말리는 듯한 순간이 있습니다. 그 순간들은 때로는 절망의 그림자를 드리우기도 합니다. 그러나 바로 이 절망의 순간에서 우리는 생의 기쁨을 만납니다. 절망 속에서 깨닫는 우리의 강인함과 성장은 삶을 더욱 풍요롭게 만듭니다. 쇼펜하우어가 말한 대로, 절망은 삶의 깊이에서 기쁨을 찾게 하는 초석입니다.

지루함은 중년에게 더 큰 의미를 부여하는 측면이 있습니다. 파도가 치지 않는 바다처럼 지루한 것이 또 있을까요? 중년은 이미 많은 경험을 쌓아왔고, 그 속에서 지루함을 깨기 위한 새로운 목표를 찾습니다. 삶의 지루함은 도전이 부재로 인한 것이 아니라, 오히려 더 높은 목표를 향해 나아가기 위한 새로운 시작입니다.

중년의 삶은 여전히 끊임없는 항해로 이어집니다. 그러나 중년은 머나먼 항해에서 배운 지혜와 경험을 토대로 새로운 성장을 이루어 나갑니다. 시련과 절망의 파도에 맞서면서 중년은 삶의 진정한 기쁨을 찾아가는 여정을 즐깁니다. 머나먼 항해에서 배운 중년의 삶은 쇼펜하우어의 말처럼, 절망 없이 기쁨도 없다는 주제를 깊이 체험하고 이해하게 만듭니다.

중년에는 머나먼 항해를 떠나는 배와 같습니다. 풍파와 절망의 파도를 만나면서도, 우리의 항해는 멈추지 않습니다. 오히려 이러한 시련과 도전이 중년의 성장과 기쁨으로 이어집니다. 중년은 지루함을 깨고, 시련을 이겨내며, 절망 속에서도 생의 기쁨을 발견합니다. 그리고 이것이 바로 중년의 세월을 의미 있게 만드는 원동력입니다.

1. 도전을 두려워하지 말라

머나먼 항해에서 풍파를 만난 배는 항구에 닿을 수 있는데, 마찬가지로 인생에서의 도전과 어려움은 성장의 기회다. 중년에는 새로운 도전을 두려워하지 말고, 오히려 그것을 전진하는 계기로 받아들일 필요가 있다. 시련은 전진하는 자의 벗이므로, 어려움을 피하지 말고 대면하여 삶을 더욱 풍요롭게 만들어 나가야 한다.

2. 지루함에 빠지지 말고 새로운 목표를 세우라

파도가 치지 않는 바다처럼 일상이 지루해질 때, 중년은 자아를 다시 발견하고 새로운 목표를 향해 나아가는 시기다. 중년에는 자신의 가치와 꿈을 되새기고, 새로운 목표를 세워야 한다. 이를 통해 지루함을 벗어나고 더 큰 기쁨과 성취를 찾을 수 있다.

3. 절망 속에서도 긍정적인 시각을 유지하라

절망에서 생의 기쁨을 만날 수 있다. 중년에는 인생의 어려움과 절망 속에서도 긍정적인 시각을 유지해야 한다. 어려운 시기일수록 성장하고 변화할 수 있으며, 이를 통해 더 많은 기쁨을 찾아낼 수 있다. 절망에 빠지지 않고 긍정적인 마음가짐으로 중년을 살아가야 한다.

절망 앞에서 미리 겁먹지 말라

．
．
．

Schopenhauer

"절망은 우리에게 죽음을 보여준 적이 없다. 끈을 둥글게 말아 목에 걸라고 등을 떠민 적도, 낭떠러지에 올라 뛰어내리라고 가르친 적도 없다. 절망은 우리에게 아무 짓도 하지 않았다. 그는 자기에게 주어진 임무를 성실히 수행하고자 분별 있는 인간, 그래서 상처받은 인간의 침실을 정중하게 노크했을 뿐이다. 다만 지레 겁먹은 우리가 절망을 죽음과 혼동하여 좌절하고 포기했다."

중년에는 삶의 변화와 어려움에 직면하게 됩니다. 이 변화와 어려움은 종종 우리를 절망의 세계로 끌어들일 수 있습니다. 그러나 쇼펜하우어의 말처럼, 절망은 우리에게 죽음을 보여주거나 목에 끈을 매달라고 가르치지 않았습니다. 오히려 그는 우리에게 주어진 임무를 성실히 수행하고자 하는 분별 있는 인간으로 나타났습니다.

"절망 앞에서 미리 겁먹지 말라"는 우리가 삶의 어려움과 변화에 처한 순간에 미리 겁먹지 말고, 마주하고자 하는 용기를 갖자고 촉구합니다. 우리는 종종 미래의 불확실성과 어려움에 대한 두려움 때문에 미리 겁을 먹게 되지만, 쇼펜하우어의 말은 우리가 그 두려움에 굴복하지 말아야 한다는 중요한 교훈을 전해줍니다.

우리는 삶에서 어려움에 부딪히면서 종종 지레 겁먹고, 절망의 그림자에 빠져들기 쉽습니다. 그러나 쇼펜하우어는 절망이 우리에게 아무 짓도 하지 않았다고 말합니다. 이는 우리가 어려운 상황에서 마주하게 되는 절망 앞에서는 미리 두려움에 굴복할 필요가 없다는 것을 의미합니다. 우리는 마치 상처받은 인간의 침실을 정중하게 노크하는 절망처럼, 어려움에 정중하게 대응하며 그 과정에서 성장할 수 있습니다.

그는 우리에게 미래의 불확실성과 어려움에 대한 두려움을 이기고, 우리의 목표와 가치에 대한 분명한 이해를 향해 나아가자고 조언합니다. 중년에 우리는 이미 삶의 여러 양면을 경험하고 배워왔습니다. 이제는 지혜와 경험을 바탕으로 앞으로의 도전에 당당하게 맞서 나가야 할 때입니다.

그는 우리에게 용기를 주고, 어려움을 마주할 때 두려움에 굴하지 말고 긍정적으로 대응하자는 촉구합니다. 삶은 항상 어려움과 도전으로 가득하지만, 우리는 그 속에서 자기 자신을 찾고 더 강해지며 더 나은 미래를 향해 나아갈 수 있습니다.

Schopenhauer Insight

1. 자기에게 주어진 임무를 성실히 수행하라

쇼펜하우어가 말한 대로, 절망은 우리에게 죽음을 보여주지 않았다. 중년에 이르면 우리는 각자의 삶에서 자기에게 주어진 임무를 찾고, 성실히 수행하려는 분별 있는 인간이 되어야 한다. 자신에게 주어진 책임과 역할을 성실히 다하면서 내적으로 성장하고 삶의 의미를 찾는 게 중요하다.

2. 고난과 어려움에 마주할 때도 두려움에 굴하지 말라

끈을 둥글게 말아 목에 걸라고 등을 떠민 적도, 낭떠러지에 올라 뛰어내리라고 가르친 적도 없다. 절망은 우리에게 아무 짓도 하지 않았다. 우리는 어려움과 고난 속에서 두려움에 굴하지 않고 당당하게 맞서야 한다. 중년은 경험과 지혜를 얻은 시기이며, 이를 토대로 어려운 순간에도 겁먹지 않고 긍정적으로 대응하는 자세를 가져야 한다.

3. 절망을 죽음과 혼동하지 말고, 성장의 기회로 삼아라

절망은 우리에게 죽음을 보여주는 것이 아니라, 내적인 성장과 깨달음을 통한 기회일지도 모른다. 중년에는 삶의 의미에 대한 깊은 고민이 생기게 된다. 이때, 절망을 단순히 실패나 좌절이 아닌, 성장과 깨달음을 위한 도전으로 바라보며, 삶의 여정에서 지혜와 성취를 찾아가는 것이 중요하다.

행복과 불행은 동전의 양면이다

●
●
●

Schopenhauer

"행복은 희생을 동반하기 마련이다. 상실 없이는 기쁨이 없고, 절망 없이는 진리에 대한 감지도 없다. 고통과 쾌락은 서로 꼬리를 물고 있는 두 마리 뱀의 형상이다. 한쪽의 고통으로 다른 한쪽의 고통이 시작되고, 고통이 더해질수록 서로의 꼬리를 무는 힘도 강해진다. 삶과 죽음도 그와 같아서 삶에 더없이 집착하는 자에게 죽음은 더 빨리 찾아온다."

　　　　중년에는 종종 역설의 연속이라고 느껴집니다. 한편으로는 삶의 경험이 풍부해지고 직업에서의 성취, 가족과 깊은 유대감 등으로 인해 안정감을 느낄 수 있지만, 동시에 신체적 변화, 경력의 정체, 관계의 변화와 같은 도전에 직면하기도 합니다. 쇼펜하우어의 말처럼, 행복과 불행은 서로 꼬리를 물고 돌아가는 두 마리 뱀과도 같습니다.

중년에는 자기 삶을 돌아보고 미래에 대한 계획을 세웁니다. 이 시기에 이르러서야 비로소 자신의 진정한 행복이 무엇인지, 그리고 그것을 이루기 위해 어떤 희생이 필요한지를 깨닫게 됩니다. 희생 없이는 얻을 수 없는 가치가 있다는 것은, 인생의 어느 순간에나 적용되는 진리입니다. 자녀를 위해 헌신하는 부모의 사랑, 직업에서의 성취를 위한 노력과 시간 투자, 건강을 유지하기 위한 꾸준한 운동과 식습관 조절 등이 그러한 예입니다. 이러한 희생은 결국 더 큰 만족과 행복으로 이어지며, 이 과정에서 겪는 고통과 노력은 행복을 더욱 의미 있게 만듭니다.

불행 또한 중년의 삶에서 피할 수 없는 부분입니다. 경제적 어려움, 가족과의 갈등, 건강 문제 등은 삶의 만족도를 크게 떨어뜨립니다. 그러나 쇼펜하우어가 언급한 바와 같이, 절망 없이는 진리도 없습니다. 불행과 마주하는 과정에서 사람들은 종종 자기 내면을 깊게 들여다보고, 삶에 대한 더 깊은 이해와 지혜를 얻게 됩니다. 이러한 깨달음은 인생의 후반부를 더욱 풍요롭고 의미 있게 만들며, 결국 불행을 극복하고 더 큰 행복으로 이어질 수 있는 토대를 마련합니다.

　중년은 행복과 불행 사이의 균형을 찾는 것은 중요합니다. 너무 많은 희생 없이 행복을 추구하려 하거나, 불행을 완전히 피하려고만 한다면, 진정한 의미와 성취를 느끼기 어렵습니다. 반대로 불행에만 초점을 맞추어 삶의 어려움에 사로잡혀 있다면, 행복을 느낄 기회를 스스로 박탈하는 것입니다. 중년의 삶에서는 희생과 행복, 불행과 깨달음 사이의 균형을 이루는 지혜가 필요합니다. 이 균형을 통해 우리는 삶의 진정한 가치와 행복을 발견할 수 있습니다.

1. 내면의 균형을 추구하라

중년은 내면의 균형을 추구해야 하는 시기다. 행복과 불행이 공존하는 삶의 본질을 이해하고 받아들이며, 삶의 어려움과 기쁨 사이에서 중심을 잡는 법을 배워야 한다. 이는 개인의 정서적 안정감을 높이고, 변화하는 삶의 상황에 더 유연하게 대응할 수 있게 한다.

2. 깊은 자기 성찰로 성장하라

쇼펜하우어의 말처럼, 상실과 절망은 종종 깊은 자기 성찰과 성장의 기회를 제공한다. 중년에는 이러한 순간들을 통해 자신에 대한 더 깊은 이해와 삶에 대한 더 넓은 시각을 계발해야 한다. 이 과정에서 얻은 지혜와 깨달음은 인생의 후반부를 더욱 풍요롭고 의미 있게 만든다.

3. 삶의 순간들을 소중히 여겨라

행복과 불행이 끊임없이 교차하는 삶 속에서 중년은 각 순간을 소중히 여기는 법을 배워야 한다. 삶에 대한 깊은 애착을 가지되, 죽음을 두려워하지 않고 자연스러운 삶의 일부로 받아들이는 태도를 가져야 한다. 이러한 태도는 삶을 더욱 충실히 살아가고, 순간의 가치를 최대한 활용하게 한다.

체면이 능력보다 중요할까?

●
●
●

Schopenhauer

"오늘날 체면과 명예가 그 사람의 전부인 양 절대적인 대접을 받는 이유는 이 시대의 인간관계, 혹은 권위와 신분이 편견들로 가득하기 때문이다. 사람이 체면을 중시하는 까닭은, 내세울 인간성이 직분에서 얻은 명예 말고는 아무것도 없어서다. 능력이 없으니 사람들의 존경을 받지도 못하고, 그런데 또 권력은 욕심나고, 그러니 스스로 자기 이름에 금칠을 해버리는 것이다."

현대 사회에서 체면과 명예는 우리의 삶을 교묘하게 조절합니다. 이것이 바로 인간관계와 권력, 그리고 신분이 편견으로 가득한 현대의 세계에서 끊임없이 부딪히는 중년의 딜레마입니다.

중년에는 자기 능력과 성과에 집중합니다. 그러나 현대 사회에서는 능력뿐만 아니라 체면과 명예도 중요한 가치로 여겨집니다. 능력만큼이나, 때로는 그 이상으로 사회적으로 인정받고 싶은 욕망이 중년의 마음을 강하게 향하게 만듭니다.

능력이 부족하다고 느낄 때, 우리는 자신의 명예를 중시하고 체면을 지키려고 합니다. 이는 자존감을 높이고, 주변의 인식을 조절하기 위한 방어 메커니즘의 한 형태입니다. 중년은 자기 경력과 업적에 대한 만족도와 동시에, 다양한 기대와 압력에 직면합니다. 이런 상황에서 우리는 어떻게 능력과 체면을 균형 있게 유지할 수 있을까요?

중년에는 자기 능력을 높이고 발전시키는 데 노력할 필요가 있습니다. 이는 새로운 기술을 익히거나, 자기 계발을 통해 가능합니다. 능력의 향상은 자신감을 높이고 존경받을 수 있는 길입니다. 그러나 동시에, 우리는 명예를 위해 과도하게 희생되어서는 안 됩니다. 체면과 명예가 능력의 상실을 가리는 것이 아니라, 오히려 더 빛을 발하도록 하는 방향으로 나아가야 합니다.

더욱이 중년은 자신의 가치관과 인간성을 되돌아보는 시

기입니다. 능력과 명예가 중요하지만, 이를 어떻게 사용하고, 그로 인해 어떠한 인간으로 남을지를 고민해야 합니다. 체면과 명예를 중시함으로써 다른 사람들과의 관계에서 인간적인 가치를 존중하고, 더 나은 사회적 존재가 될 수 있습니다. 중년은 새로운 도전과 변화의 기회이자, 자기 자신과의 조화를 이루어 나가는 여정입니다.

1. 정신의 안정과 조화를 찾아가는 노력을 하라

중년은 능력과 체면 사이에서 갈등하는 딜레마 속에서 정신의 안정과 조화를 찾아가는 노력이 중요하다. 능력에 의한 성취와 외부 평가에 의한 명예와의 균형을 맞추면서, 자아의 안정성을 갖추고 조화를 이루어 나가야 한다. 중년은 자신의 가치를 자각하고 외부 평가에 휩쓸리지 않으며, 풍요로운 삶을 만들어 낼 수 있다.

2. 자기 계발과 능력 강화로 성장하라

능력보다 중요한 체면이라는 딜레마에서 중년은 자기 계발과 능력 강화에 주력해야 한다. 현대 사회에서는 능력이 부족하다면 명예와 체면이 채우려는 경향이 있다. 중년은 자기 능력을 높이고 새로운 기술을 익힘으로써, 능력과 체면을 동시에 키워가는 노력을 기울여야 한다.

3. 사회적 기대에 부담 받지 않고 개인의 가치를 추구하라

중년은 사회적 기대와 외부 평가에 치우치지 않고 개인의 가치를 추구해야 한다. 능력과 체면의 딜레마에서 중년은 자기 자신의 정체성과 가치관을 중시하며, 외부의 편견과 권위에 휩쓸리지 않도록 노력해야 한다.

의지는 고난에서 태어난다

•
•
•

Schopenhauer

"강물은 바위 같은 장애물에 부딪히지 않는 한, 바다가 나타날 때까지 조용히 흐른다. 인간과 동물의 수명은 강물과 같아서 살고자 하는 의지는 장애물이 나타나지 않는 한, 살아있다는 의식조차 갖추지 못하는 습성이 있다. (…) 인간이 내면에서, 혹은 정신적으로(영혼이라고 말해도 좋다) '의지'를 깨달을 때가 있다. 살고자 하는 의지가 외부, 또는 내부의 어떤 대상과 충돌하여 파열음을 발생시켰을 때다. 어떤 충돌이 발생했을 때 의지는 비로소 우리 앞에 모습을 나타낸다."

중년에는 자기 삶에서 의미와 목적을 찾기 위해 노력합니다. 쇼펜하우어가 말한 것처럼, 우리의 "살고자 하는 의지"는 종종 고난과 직면할 때 비로소 명확해집니다. 일상의 평온함에서는 의식하지 못했던 내면의 힘이, 고난을 통해 강력한 동기와 변화의 원동력으로 나타나곤 합니다. 이 과정에서 중년의 사람들은 자신의 한계를 시험하고, 자신이 진정으로 원하는 것이 무엇인지 깊이 탐구하게 됩니다.

고난과 장애물은 우리를 좌절시키고 멈추게 할 수도 있지만, 동시에 우리의 의지를 강화하고 성장을 촉진하는 역할도 합니다. 중년에 직면하는 경제적 어려움, 건강 문제, 직업상의 변화 등은 모두 의지를 시험하는 고난입니다. 이러한 상황에서 우리는 자신의 한계를 넘어서는 힘을 발견하게 되며, 이 과정에서 얻은 교훈과 경험은 인생의 나머지 부분에 지속적인 영향을 미칩니다.

중년은 고난을 겪으면서, 많은 이들은 자신의 의지를 실현하는 방법을 배웁니다. 고난을 극복하는 과정에서 개인은 자신의 힘을 활용하여 삶의 방향을 새롭게 설정할 수 있습니다. 이는 새로운 취미를 탐색하거나, 경력을 전환하는 것과 같은 긍정적인 변화를 포함하며, 이러한 변화는 중년의 삶에 새로운 의미와 만족을 가져다줍니다.

중년은 인생에서 중요한 전환점으로, 이 시기에는 다양한 고난과 도전에 직면하게 됩니다. 쇼펜하우어의 말처럼, 이러한 고난은 우리의 의지를 드러내고 강화하는 기회입니다. 고난을 겪으며 개인은 자신의 힘을 발견하고, 자기 삶에 대한 깊은 이해와 새로운 목표를 설정하는 기회를 갖게 됩니다. 이러한 과정은 중년을 더욱 의미 있고 충만한 시기로 만들어 줍니다.

중년에 직면하는 고난과 장애는 단순히 통과의례가 아니라, 자신의 의지를 강화하고 삶의 깊이를 더하는 중요한 순간들입니다. 이 시기에 경험하는 고난은 우리로 하여금 더 강인하고 유연한 사람으로 거듭나게 하며, 삶의 진정한 가치와 목적을 찾는 데 도움을 줍니다.

1. 도전을 기회로 받아들여라

중년에 접어들면서 마주치는 어려움과 도전을 개인 성장과 자기 발전의 기회로 보아야 한다. 삶의 장애물과 고난은 의지를 강화하는 시련으로, 이를 통해 자신의 한계를 넘어서고 진정한 내면의 힘을 발견할 수 있다.

2. 자신의 의지를 탐색하고 깨달아라

평온한 시기에는 자주 간과하는 내면의 의지를 고난과 직면할 때 더욱 깊이 탐색하고 깨달아야 한다. 이는 자기 성찰, 명상, 혹은 새로운 도전을 통해 이루어지며, 이 과정에서 자신이 진정으로 중요하게 여기는 것이 무엇인지, 무엇을 위해 싸우고자 하는지 명확해진다.

3. 변화와 적응으로 성장하라

중년의 고난과 장애물은 때때로 변화와 적응을 요구한다. 이러한 상황에서 유연성을 발휘하고 새로운 상황에 적응하는 능력은 중년의 삶을 더욱 풍요롭고 의미 있게 만든다. 자신의 의지를 따라 삶의 방향을 조정하고, 개인적 성장을 위한 새로운 길을 모색하는 것이 중요하다.

나이 듦이 성숙은 아니다

•
•
•

Schopenhauer

"사람이 나이가 들수록 고집불통으로 변하는 까닭은 강제로 수용된 인식보다 개인의 야만적인 의지가 생의 욕구에 더욱 부합한다는 것을 깨달았기 때문인지도 모른다. 봄에 온갖 나뭇가지에서 똑같이 초록색 이파리가 나온다고 해서 인간도 그러리라는 보장은 없다."

나이가 들어감에 따라 우리는 종종 성숙과 지혜가 자연스럽게 따라올 것이라 기대합니다. 그러나 쇼펜하우어가 지적한 것처럼, 나이 듦이 곧 성숙을 의미하지는 않습니다. 사람이 나이를 먹으면서 고집이 세지는 현상은, 개인적인 경험과 의지가 삶의 욕구와 더 부합한다고 느끼기 때문입니다.

성숙은 단순히 시간이 흐름에 따라 자동으로 얻어지는 것이 아니라, 개인적인 노력과 자기 성찰을 통해 이루어지는 과정입니다. 나이가 들면서 사람들은 자신만의 경험과 신념 체계를 구축하지만, 이것이 반드시 성숙함을 의미하는 것은 아닙니다. 진정한 성숙은 자신과 타인에 대한 깊은 이해, 감정의 조절, 대인 관계에서의 공감 능력 등 다양한 측면에서 나타납니다.

중년에 진정한 성숙을 이루기 위해서는 끊임없는 자기 성찰이 필요합니다. 과거의 경험에서 배우고, 자신의 한계와 약점을 인정하는 것이 중요합니다. 또한, 새로운 아이디어와 다른 사람들의 관점에 개방적이어야 합니다. 고정관념에 얽매이지 않고, 변화와 새로운 경험을 수용하는 태도는 성숙으로 가는 길에 있어서 필수입니다.

성숙함은 타인에 대한 깊은 이해와 공감 능력에서도 나타납니다. 나이가 들면서 자신만의 경험과 신념 체계가 확립되지만, 타인의 관점을 이해하고 존중하는 능력 또한 중요합니다. 다양성을 인정하고, 타인의 감정과 입장에 공감할 수 있는 능력은 성숙한 인간관계를 형성하는 데 있어 핵심적인 요소입니다.

쇼펜하우어의 조언처럼, 나이가 듦은 자동으로 성숙을 가져다주지 않습니다. 진정한 성숙은 자기 성찰, 개방성, 타인에 대한 이해와 공감 능력과 같은 내면적 성장을 통해 이루어집니다. 중년에는 이러한 성숙을 향한 여정이 더욱 중요해집니다. 왜냐하면 이 시기에는 인생의 다양한 경험을 통해 얻은 지혜를 바탕으로 자신의 삶을 재평가하고, 더 깊은 의미와 만족을 찾을 기회가 많기 때문입니다.

중년은 과거의 경험을 바탕으로 미래를 계획하고, 자기 삶에 대해 더 깊이 성찰할 수 있는 소중한 시기입니다. 이 시기에는 자신의 내면을 들여다보고, 자신의 가치와 신념을 재검토하며, 타인과의 관계에서 더 깊은 이해와 공감을 실천함으로써, 진정한 성숙을 향한 여정을 이어갈 수 있습니다.

1. 자기 반성과 개방성을 유지하라

나이가 들면서 생긴 고집이나 고정된 생각에 사로잡히지 않도록 주의해야 한다. 대신, 자기 반성을 꾸준히 실천하며, 새로운 아이디어나 다른 사람들의 관점에 대해 열린 마음을 유지하는 것이 중요하다. 이는 자신의 성장을 촉진하고, 진정한 성숙으로 나아가는 데 도움이 된다.

2. 지속적인 학습과 성장을 추구하라

중년이 되어도 학습과 성장은 멈추지 않아야 한다. 새로운 취미를 탐색하거나, 새로운 기술을 배우거나, 지식을 확장하는 등 지속해서 자기 발전에 투자하는 것이 중요하다. 이러한 지속적인 학습과 성장은 나이가 들어가며 성숙해지는 데 필수 요소다.

3. 공감 능력 강화하라

진정한 성숙은 타인에 대한 깊은 이해와 공감에서 나타난다. 중년에는 다양한 사람들과의 관계를 통해 타인의 입장을 이해하고, 다양한 관점을 수용하는 능력을 키워야 한다. 이는 인간관계를 더욱 풍요롭게 만들고, 사회적 연결감을 강화하는 데 중요하다.

불행은 반드시 찾아오는 불청객이다

•
•
•

Schopenhauer

"불행은 그 누구도 피해 가지 못한다. 그러므로 뜻하지 않게 질병을 얻었다거나, 장애를 안고 태어났다거나, 갑작스레 불운이 뒤따르더라도 놀라면 안 된다. 수치스럽게 여겨서도 안 된다. 생명이 지속되는 한, 언젠가는 육신에 병마가 찾아오고, 우리의 이상은 늦가을 낙엽처럼 힘없이 땅에 떨어지기 마련이다."

인생을 살아가면서 누구나 불행에 직면합니다. 쇼펜하우어의 말처럼, 불행은 예고 없이 우리의 삶에 찾아오는 불청객과 같습니다. 중년에는 특히 변화와 도전이 많은 시기로, 질병, 장애, 갑작스러운 불운과 같은 여러 형태의 불행이 찾아옵니다.

불행이 찾아왔을 때, 가장 중요한 것은 이를 인정하는 태도를 갖는 것입니다. 불행을 부정하거나 놀라워하며 시간을 낭비하기보다는, 그것이 인생의 필연적인 부분임을 인정하고 받아들이는 것이 중요합니다. 불행을 인정함으로써 우리는 그것을 극복하고 성장하는 기회로 전환할 수 있습니다.

중년에는 불행과 공존하는 법을 배워야 합니다. 불행이 우리 삶의 일부가 될 수 있지만, 그것이 전부는 아닙니다. 불행한 사건이나 상황이 우리 삶을 완전히 지배하지 않도록, 긍정적인 측면과 삶의 다른 아름다운 부분에 집중해야 합니다. 이는 불행을 상대적인 관점에서 바라보고, 그것을 극복하는 힘을 길러줍니다.

불행은 우리에게 성장과 변화의 기회를 제공합니다. 질병, 장애, 불운과 같은 불행한 상황을 겪으면서, 우리는 인내, 강인함, 공감 능력과 같은 중요한 인생의 교훈을 배울 수 있습니다. 이러한 경험은 우리를 더 성숙하고 지혜로운 사람으로 만들어줍니다.

불행은 인생에서 피할 수 없는 불청객입니다. 중년에 이르러서는 불행을 수용하고, 그것과 공존하는 법을 배우며,

불행을 통해 성장할 기회로 삼아야 합니다. 불행한 상황을 겪을 때마다 우리는 더 강인해지고, 삶의 진정한 가치를 깨닫게 됩니다. 따라서, 중년에 불행이 찾아온다 해도 놀라거나 수치스럽게 여기지 말고, 그것을 극복하고 성장하는 기회로 삼아야 합니다. 이러한 태도는 중년을 더욱 의미 있고 충만한 시기로 만들어줍니다.

1. 불행과 도전을 받아들여라

중년에는 인생의 불가피한 불행과 도전을 받아들이는 태도를 갖는 것이 중요하다. 이는 삶에서 예상치 못한 사건들이 발생할 수 있음을 인정해야 한다. 실제로 어려움에 직면했을 때 당황하지 않고, 유연하게 대처할 수 있는 탄력성을 기르는 것이 중요하다.

2. 자신의 한계와 약점을 인정하라

중년은 자신의 한계와 약점을 인정하고 받아들이는 과정을 포함한다. 이는 자기 자신과 삶에 대한 무조건적인 수용을 의미하며, 이를 통해 내면의 강인함을 발전시킬 수 있다. 자신의 질병, 장애, 또는 어떠한 불행에도 불구하고, 그것을 수치가 아닌 삶의 일부로 받아들여야 한다.

3. 목표와 가치를 재평가하라

쇼펜하우어가 언급한 "우리의 이상은 늦가을 낙엽처럼 힘없이 땅에 떨어진다"는 표현처럼, 중년에는 삶의 목표와 가치를 재평가하는 시기가 된다. 이는 인생의 후반기를 의미 있고 만족스럽게 보내기 위해, 무엇이 진정으로 중요한지, 어떤 가치가 개인적으로 의미 있는지를 되돌아보아야 하며, 이러한 재평가는 불행과 어려움을 극복하고, 삶의 질을 높여준다.

타인의 판단에 의존하지 말라

•
•
•

Schopenhauer

"인간의 정신이 도달할 수 있는 정점은 판단이다. 판단을 타인에게 의존하지 않고, 타인의 의사를 수용하지 않는 것, 그것이 인간 정신의 정점이다. 자기 스스로 결정한다는 것만큼 개체로서 완성도와 독립성을 보여주는 증거는 없다. 판단은 스스로 사색하지 않고서는 불가능하다. (…) 이처럼 스스로 판단할 수 있게 된 인간은 제국을 다스리는 황제처럼 정신적 세계에 자기만의 영토를 다스릴 수 있게 된다."

중년에는 자신의 정체성과 가치관을 확립하는 중요한 시기입니다. 이 시기에는 다른 사람의 의견과 판단에 의존하기보다는 자신만의 판단을 형성하는 것이 더욱 중요해집니다. 쇼펜하우어는 인간의 정신이 도달할 수 있는 정점을 자기 스스로의 판단력에서 찾습니다. 이는 중년에게 특히 중요한 메시지입니다. 타인의 판단에 의존하지 않고 자기 내면의 목소리를 듣는 것은 개인의 독립성과 완성도를 높이는 핵심입니다.

중년은 자신의 삶을 깊이 성찰하게 됩니다. 이때 자신의 판단력을 강화하는 것은 자아 실현의 핵심적인 부분입니다. 자신의 경험, 지식, 가치관을 바탕으로 한 판단은 개인의 독특한 삶의 지혜를 반영합니다. 타인의 의견을 경청하는 것은 중요하지만, 최종 결정은 자신의 판단에 의존해야 합니다.

타인의 판단에 의존하지 않고 스스로 결정하는 능력은 중년에 독립성과 자율성을 발달시키는 데 중요합니다. 자신의 판단에 자신감을 가지고 결정을 내릴 때, 개인은 자기 주도적인 삶을 살아갑니다. 이러한 자율성은 개인이 자기 삶에 대해 더 큰 책임감을 가지고 살아가게 됩니다.

스스로 판단하는 과정에서는 다양한 의견을 비판적으로 분석하고 자신의 가치관에 따라 재평가하는 과정이 포함됩니다. 이 과정은 개인의 성장과 성숙에 기여합니다. 자신만의 판단을 형성하는 것은 단순한 결정을 넘어서, 자신의 신념과 가치를 명확히 하고, 이를 바탕으로 삶의 중요한 결정을 내리는 능력을 키웁니다.

중년은 자신의 삶을 돌아보고 미래를 계획하는 중요한 시기입니다. 이 시기에 타인의 판단에 의존하기보다는 자기 내면을 깊이 들여다보고 자신만의 판단을 형성하는 것이 중요합니다. 쇼펜하우어가 말한 바와 같이, 스스로 판단할 수 있는 능력은 인간 정신의 정점입니다. 자신의 판단력을 신장하고 믿음을 갖는 것은 개인의 독립성과 내적 성장을 촉진하며, 삶에 대한 깊은 만족과 풍요로움을 가져다줍니다. 중년에 자신의 판단에 의존하는 능력을 갖추는 것은 단순히 일상적인 결정을 넘어서, 삶의 방향과 의미를 자신이 정의하고 결정하는 힘을 부여합니다.

1. 자신의 가치관을 확립하라

중년은 자신만의 가치관과 신념을 명확히 정립하는 시기다. 자신이 중요하게 여기는 것, 무엇을 위해 살아가고 싶은지에 대한 깊은 성찰을 통해 자신만의 가치관을 확립해야 한다. 이렇게 확립된 가치관은 타인의 판단이나 의견에 휘둘리지 않고 자신의 길을 결정하는 데 중요한 기준이 된다.

2. 내적 확신을 가져라

자신의 결정과 판단에 확신을 갖는 것이 중요하다. 타인의 의견을 듣고 참고할 수는 있지만, 최종적인 결정은 자신의 내적 확신에 따라야 한다. 이를 위해 자기 자신과의 대화를 꾸준히 하고, 자신의 직관과 경험을 신뢰하는 태도를 길러야 한다.

3. 비판적인 사고력을 발휘하라

타인의 판단이나 일반적인 사회적 기준에 의존하지 않으려면, 비판적 사고력을 발휘하는 것이 필수다. 제시된 정보와 의견을 비판적으로 분석하고, 자신의 관점에서 재해석하여 자신만의 결론을 도출해내야 한다. 이 과정에서 자신만의 독특한 판단력을 강화하고, 타인의 의견에 휩쓸리지 않는 내적 강인함을 기를 수 있다.

인생 두 개의 길, 극복과 굴복

•
•
•

Schopenhauer

"우리에게는 두 가지 길이 있다. 인생에 대한 극복과 인생에 대한 굴복이다. 숨 쉬는 모든 존재에게 길은 이 두 가지뿐이다."

쇼펜하우어의 지혜로운 말처럼, 인생은 극복과 굴복, 이 두 가지 길로 구분됩니다. 중년이라는 인생의 전환점에서 이러한 선택은 더욱 절실하게 다가옵니다. 이 시기에는 과거의 성취와 미래의 불확실성 사이에서 균형을 찾아야 하며, 삶의 진정한 의미와 목적을 탐색하는 과정에서 많은 도전에 직면하게 됩니다.

첫 번째 길은 극복의 길로, 적극적인 삶의 태도를 요구합니다. 중년의 도전, 경력의 정체, 가족의 변화, 건강 문제 등을 극복하는 것은 내면의 힘과 외부 자원을 동원해 이러한 변화를 기회로 전환하는 과정입니다. 극복은 변화를 두려워하지 않고, 자신의 한계를 넘어서려는 의지에서 비롯됩니다. 이는 지속적인 자기 계발, 새로운 관계의 구축, 건강과 웰빙에 대한 투자를 포함할 수 있으며, 삶의 질을 향상시키는 중요한 동력이 됩니다.

두 번째 길은 인생의 굴복 길로, 굴복의 길은 삶의 어려움 앞에서 무력감을 느끼고, 변화의 필요성을 인정하지 않는 것을 의미합니다. 이는 종종 과거의 성공에 안주하거나 현재의 어려움을 회피하려는 태도에서 비롯됩니다. 하지만 굴복은 항상 부정적인 결과만을 낳는 것은 아닙니다. 때로는 현재 상황을 있는 그대로 받아들이고, 내면의 평화를 찾는 과정에서도 굴복이 필요할 수 있습니다. 중요한 것은 굴복이 장기적인 포기로 이어지지 않도록 하는 것입니다.

중년에는 극복과 굴복 사이에서 선택을 요구하는 많은 순간으로 가득 차 있습니다. 이러한 선택은 개인의 가치관, 경험, 그리고 삶에 대한 태도에 깊이 영향을 받습니다. 극복의 길을 선택하는 것은 종종 더 어려운 길이 될 수 있지만, 그만큼 더 큰 성장과 만족을 가져다 줍니다. 반면,

굴복의 순간은 자기 성찰과 재정비의 기회를 제공하며, 때로는 새로운 방향을 모색하는 데 필요한 휴식을 주기도 합니다.

중년에 극복과 굴복을 탐색하는 것은 쉽지 않은 여정입니다. 하지만 이러한 선택을 통해 우리는 자기 삶에 대한 깊은 이해와 새로운 가능성을 발견할 수 있습니다. 극복의 길을 걷는 것은 적극적인 삶의 태도와 끊임없는 자기 계발을 통해 인생의 어려움을 기회로 전환하는 과정입니다. 반면, 굴복의 순간들은 자기 성찰과 재정비의 기회를 제공하며, 때로는 새로운 방향을 모색하는 데 필요한 휴식을 줍니다. 중요한 것은 굴복이 장기적인 포기로 이어지지 않도록 주의하는 것입니다.

1. 적극적인 자세로 맞서라

중년에는 인생의 여러 변화와 도전에 직면하는 시기다. 이러한 도전을 극복하는 길을 선택함으로써, 중년의 개인은 삶의 어려움을 극복하고 성장하는 기회를 얻는다. 새로운 기술을 배우거나, 건강을 개선하거나, 인간관계를 강화하는 것 등이 이에 해당할 수 있다.

2. 내면의 평화와 한계를 인정하라

굴복의 길은 때로는 현실을 있는 그대로 받아들이고 내면의 평화를 찾는 과정이 된다. 중년에는 변하지 않는 상황을 수용하고, 자신의 한계를 인정하는 지혜가 필요하다. 이는 불필요한 스트레스와 갈등으로부터 벗어나, 삶에 대한 새로운 관점을 개발하는 데 도움이 된다.

3. 균형과 조화를 추구하라

중년에는 극복과 굴복 사이에서 균형을 찾는 것이 중요하다. 모든 상황에서 항상 극복을 추구하는 것이 최선의 방법은 아니며, 어떤 경우에는 상황을 받아들이고 현재에 집중하는 것이 더 나은 결과를 가져올 수 있다. 삶의 다양한 측면에서 균형을 찾고, 유연성을 유지하는 것은 중년의 복잡한 도전에 효과적으로 대응하는 데 필요하다.

세계관은 어린 시절에 완성된다

•
•
•

Schopenhauer

"변하지 않는 것도 있다. 소년기에 완성되는 세계관의 길이와 무게다. 세계관은 나이가 듦에 따라 인간의 성질이 변하듯 수정되고 보충되고 악화되지만, 그 길이와 무게만큼은 처음 완성된 형태에서 변함이 없다. 그리고 이렇게 완성된 세계관의 길이와 무게에 의해 한 사람의 인생이 결정된다. 세계관의 길이가 짧은 사람은 가장 친한 벗의 세계조차 헤아리지 못한다. 그에 반해 천재, 혹은 현자로 불리는 특수한 사람들의 세계관은 지구를 뒤덮고도 남을 만큼 길다."

쇼펜하우어의 조언에 따르면, 우리의 세계관은 소년기에 형성되고, 그 길이와 무게는 평생 동안 변하지 않는다고 합니다. 이러한 세계관은 우리가 삶을 어떻게 이해하고, 다른 사람들과 어떻게 상호작용하는지 근본적인 영향을 미칩니다. 중년에 이르러, 우리는 자신의 삶을 되돌아보고 미래에 대한 계획을 세우면서 종종 이 세계관의 한계와 가능성을 탐색하게 됩니다.

소년기에 형성된 세계관의 길이와 무게는 개인이 삶을 해석하고 대응하는 방식에 깊은 영향을 미칩니다. 초기에 형성된 세계관은 우리가 세상을 바라보는 렌즈와 같으며, 우리의 가치관, 신념, 태도를 형성합니다. 중년에 이르러 우리는 이 렌즈를 통해 삶의 여러 사건과 도전을 해석하게 되며, 이는 우리의 결정과 행동을 크게 좌우합니다.

중년은 자신의 삶을 재평가하고 미래에 대한 새로운 계획을 세우는 시기입니다. 소년기에 형성된 세계관을 재검토하는 것은 삶에 대한 새로운 이해와 접근 방식을 제공할 수 있습니다. 세계관의 길이와 무게가 우리의 인식을 제한할 수도 있지만, 이를 인식하고 넘어서려는 노력은 우리가 더 넓은 관점을 가지고 삶을 바라볼 수 있게 합니다.

세계관은 나이가 들어가면서 수정되고 보충될 수 있지만, 그 기본적인 구조는 변하지 않는다는 쇼펜하우어의 주장에도 불구하고, 중년에는 새로운 경험과 지식을 통해 세계관을 확장하고 깊게 하는 기회가 있습니다. 이 과정에서 우리는 자신만의 세계관을 더욱 성숙시키고, 삶의 다양한 측면에 대해 더 깊이 이해할 수 있습니다.

쇼펜하우어의 관점에서 볼 때, 소년기에 형성된 세계관은 중년의 삶에 지속적인 영향을 미칩니다. 그러나 이것은 우리가 자신의 세계관을 고찰하고, 필요에 따라 적응하며, 새로운 경험을 통해 확장하는 기회를 의미하기도 합니다. 중년에는 과거를 반성하고 미래를 설계하는 중요한 시기로, 소년 시절에 형성된 세계관을 재평가하고 그 한계를 넘어서는 과정을 포함합니다. 이는 개인의 성장과 발전에 있어 중요한 단계이며, 우리가 삶의 깊이와 폭을 확장하는 데 기여합니다.

1. 자기성찰로 성장하라

중년은 소년 시절에 형성된 세계관을 깊이 성찰하는 것이 중요하다. 이는 과거의 경험과 신념을 재검토하고, 삶의 변화와 도전을 통해 성장한 자신을 인정하는 과정을 포함한다. 중년은 자신의 세계관이 어떻게 발전했는지, 그리고 현재의 삶에 어떤 영향을 미치고 있는지를 이해하고, 필요한 경우 이를 확장하고 조정하는 시기다.

2. 개방성과 유연성을 갖춰라

중년에는 새로운 경험과 지식을 통해 이를 보완하고 확장할 수 있는 개방성과 유연성이 필요하다. 새로운 관점을 받아들이고, 다양한 사람들과의 교류를 통해 자신의 세계관을 넓히는 것은 중년의 성장과 발전에 중요한 역할을 한다.

3. 인생의 목적과 가치를 재정립하라

중년은 삶의 목적과 가치를 재정립하는 시기다. 소년 시절에 형성된 세계관을 바탕으로, 자기 삶에서 진정으로 중요한 것이 무엇인지를 고민하고, 이에 따라 삶의 방향을 조정할 수 있다. 이 과정에서 개인은 자기 삶에 더 큰 의미와 만족을 가져다 주는 활동과 관계에 더 많은 시간과 에너지를 할애할 수 있게 된다.

3부
Schopenhauer Insight

자 기 극 복

가난은 죄가 아니다

•
•
•

Schopenhauer

"요즘은 어린아이들마저 가난을 죄로 여긴다. 가난을 죄로 여기는 사상은 사냥에 성공하지 못하면 그대로 죽어야 한다는 논리가 지배하는 동물들의 세계에서나 가능한 발상이다. 이 땅에서 가난하다는 것은 수치가 아니다. 그것은 죄도 아니다. 무능력과 태만의 결과도 아니다. 가난은 원석과도 같다. 이 돌 속에 어떤 보석이 숨어 있는지 아무도 모른다. 하지만 인간은 더 이상 원석을 사랑하지 않는다."

쇼펜하우어의 조언은 우리 사회에서 가난에 대한 편견과 오해를 깊이 있게 반영합니다. 특히 중년에 접어들면서, 많은 이들은 경제적 성공을 삶의 가치와 동일하게 여기며, 이로 인해 가난을 부정적으로 인식하게 됩니다.

하지만 쇼펜하우어가 지적했듯이, 가난은 죄가 아니며, 오히려 인생의 원석으로 바라봐야 한다고 조언합니다

중년에 가난을 경험하는 것은 쉽지 않은 일입니다. 누구나 가난을 원하지는 않지만, 그렇다고 내 마음 대로 가난을 피할 수도 없습니다. 그러나 가난을 삶의 실패나 무능력의 표시로 보는 것은 잘못된 인식입니다. 가난은 외부적 상황, 경제적 불균형, 혹은 예기치 못한 사건의 결과일 수 있으며, 개인의 가치를 결정짓지 않습니다. 오히려, 가난은 새로운 시작점이 될 수 있으며, 개인이 자신의 진정한 역량과 잠재력을 발견하는 계기가 될 수 있습니다.

가난은 중요한 교훈과 기회를 제공합니다. 경제적 어려움은 우리가 삶의 진정한 가치에 대해 다시 생각하게 만들며, 물질적인 것에 대한 의존도를 줄이고, 인간 관계와 정신적인 만족에 더 큰 가치를 두도록 합니다. 또한, 어려움을 극복하기 위해 새로운 기술을 배우거나, 창의적이고 혁신적인 해결책을 모색하는 등 정신의 성장을 촉진합니다.

가난은 인간의 연민과 연대감을 자극합니다. 가난한 이들과의 교류는 우리에게 겸손과 공감의 중요성을 일깨워

주며, 사회적 책임감과 공동체 의식을 강화합니다. 이러한 경험은 중년에 더욱 깊은 인간적 성숙과 이해를 가져다주며, 삶의 의미를 더욱 풍부하게 만듭니다.

가난은 결코 죄가 아니며, 수치의 대상도 아닙니다. 중년에 가난을 경험한다는 것은 삶의 원석 속에 숨겨진 보석을 발견하는 기회를 의미합니다. 이는 물질의 부족함을 넘어서, 인생의 진정한 가치와 목적을 재발견하고, 정신의 성장과 발전의 기회를 제공합니다.

중년의 가난은 삶의 장애가 아니라, 새로운 가능성을 탐색하고, 인간적인 성숙을 이루어가는 과정의 일부입니다. 가난 속에서도 우리는 인생의 깊이와 풍요로움을 발견할 수 있으며, 이를 통해 새로운 삶의 방향과 의미를 찾을 수 있습니다.

Schopenhauer Insight

1. 인생의 가치를 재평가하라

중년에는 삶의 성공을 물질적 풍요로만 판단하는 사회적 기준에서 벗어나, 성취와 개인의 성장에 더 큰 가치를 두어야 한다. 가난한 상황이라 할지라도, 그 안에서 자신의 진정한 역량을 발견하고, 인간적인 성숙과 지혜를 쌓는 과정을 소중히 여겨야 한다.

2. 정신적인 만족과 행복을 추구하라

중년에는 외부적 성공보다는 자기 내면을 탐구하고, 정신적인 만족과 행복을 추구하는 것이 중요하다. 가난한 상황 속에서도 자기 삶에 대한 감사와 만족을 발견할 수 있으며, 이러한 정신의 풍요는 어떠한 물질적 가치보다도 소중하다. 가난을 통해 인생의 진정한 의미와 가치를 깊이 성찰하고, 삶의 목적을 재정의할 수 있다.

3. 사회적인 연대를 강화하라

가난을 죄나 수치로 여기는 대신, 그것을 공동체 내에서 서로를 지원하고 연대하는 기회로 활용해야 한다. 중년에는 가난한 이웃과의 교류를 통해 사회적 연대를 강화하고, 공동체의 일원으로서의 책임감을 느낄 수 있다. 가난한 사람들과 함께하는 사회적 공헌의 중요성을 일깨워준다.

의지가 없는 하루살이로 살지 말라

* * *

Schopenhauer

"의지를 상실한 인간, 다시 말해 성숙에 도달하지 못한 인간은 축적된 의지를 허비하며 하루살이처럼 연명한다. 그 결과 의지의 활력은 세월이 흐를수록 부족해지고, 심신의 불안정으로 미풍에도 인생은 부표처럼 떠올랐다 가라앉기를 반복한다."

인간의 삶은 끊임없는 선택의 연속이며, 이 선택들은 개인의 의지에서 비롯됩니다. 쇼펜하우어는 의지를 상실한 인간, 즉 성숙에 도달하지 못한 인간이 축적된 의지를 허비하며 연명한다고 지적했습니다. 중년은 인생의 전환점으로, 이때 의지의 중요성은 더욱 강조됩니다.

중년의 위기는 종종 인생의 방향성을 잃어버린 상태로

묘사됩니다. 직장에서의 성공, 가족의 안정 등 외적인 성취에도 불구하고 내면의 공허함을 느끼는 이들이 많습니다. 이러한 공허함은 대체로 의지의 상실이 원인입니다. 의지란 단순히 하루를 살아가는 데 필요한 에너지가 아니라, 자신의 삶을 주도적으로 이끌어가는 힘입니다.

쇼펜하우어의 조언처럼, 의지가 약해짐에 따라 인간은 심신의 불안정을 겪게 됩니다. 이는 중년에게 흔히 발견되는 현상입니다. 의지가 약해지면, 사소한 일에도 쉽게 흔들리며, 인생의 큰 흐름을 주도하기 어려워집니다. 이런 상태에서는 새로운 도전을 시도하기보다는 현재 상태에 안주하게 되고, 이는 결국 정체와 후퇴를 초래합니다.

하지만 중년은 변화를 위한 새로운 기회의 시기이기도 합니다. 이 시기에 의지를 강화하고 새로운 목표를 설정함으로써, 인생의 두 번째 절정을 맞이할 수 있습니다. 의지를 강화하는 방법 중 하나는 자기 반성을 통해 자신의 내면을 깊이 이해하고, 자신이 진정으로 원하는 것이 무엇인지, 어떤 가치를 중요시하는지를 파악하여, 그에 따라 목표를 설정하는 것이 중요합니다.

중년은 인생의 길목에서 의미와 목적을 재정립할 수 있는 소중한 시기입니다. 쇼펜하우어가 말한 바와 같이, 의지를 상실한 채로 살아가는 것은 자기 잠재력을 낭비하는 것과 다름없습니다. 의지가 강한 인간만이 자신의 삶을 주도적으로 이끌어갈 수 있으며, 중년의 위기를 극복하고 더욱 풍요로운 인생을 살아갈 수 있습니다. 의지는 하루아침에 생기는 것이 아니라, 지속적인 자기 성찰과 노력을 통해 길러집니다.

중년의 여러분, 자기 내면을 깊이 들여다보고, 진정 원하는 삶을 향해 의지를 모아 나아가시길 바랍니다. 자신이 진정으로 원하는 삶의 방향을 찾는 것은 쉽지 않은 여정일 수 있지만, 그 과정에서 얻어지는 성취감과 만족감은 이루 말할 수 없습니다.

1. 의식적으로 목표를 설정하고 추구하라

중년에게 의미를 부여하는 가장 중요한 요소는 의식적인 목표 설정이다. 이는 단순히 직업적 성공이나 재정적 안정을 넘어서, 개인적 성장, 가족과의 관계 강화, 새로운 취미나 열정의 추구를 포함한다. 목표를 설정함으로써, 일상적인 삶에 목적과 동기를 부여하고, 의지력을 강화한다.

2. 자기 반성과 내면의 성장을 추구하라

중년은 자기 자신과의 대화를 통해 내면을 탐색하고 성장하는 귀중한 시기다. 자기 반성을 통해 과거의 경험을 되돌아보고, 자기 강점과 약점을 평가함으로써, 자신에 대한 깊은 이해와 수용을 발전시킨다. 이 과정은 의지력을 강화하고, 삶의 변화에 더 잘 대응할 수 있는 능력을 키운다.

3. 유연성과 개방성을 유지하라

삶은 예측할 수 없는 변화로 가득 차 있으며, 중년에도 이는 마찬가지다. 유연성과 개방성을 유지하는 것은 새로운 기회와 도전을 받아들이고, 변화하는 상황에 적응하는 데 필수다. 이는 고정된 생각이나 과거의 성공에 얽매이지 않고, 새로운 경험을 통해 성장하고 발전할 수 있는 기반을 마련한다.

스스로 생각하는 사람은 군주와 같다

•
•
•

Schopenhauer

"수만 권의 책을 읽은 자의 머릿속에는 수만 명의 사람들이 서식하고 있지만, 정작 그 자신은 그의 머릿속에 방 한 칸 마련되어 있지 않다. 스스로 사색하고, 스스로 욕망하고, 스스로 포기하는 자만이 고통 없는 죽음을 만끽할 자격이 있다. 스스로 생각하는 사람은 군주와 같다. 그는 타인의 힘을 빌리지 않고도 자신의 성을 지켜내고, 독립된 지위를 누리고, 그에게 명령하는 자의 목소리에 귀를 기울이지 않는다. 그의 삶은 스스로 판단한다. 그에게 용기와 자신감, 지혜를 주는 원천은 바로 자기 자신이다."

중년은 자신의 삶을 되돌아보고 미래를 계획하는 깊은 성찰의 시기입니다. 내면의 목소리에 귀 기울이고 자기 자신을 진정으로 이해하는 과정은 중년의 중요한 과제입니다. 자신의 감정, 욕망, 그리고 두려움을 인식하고 받아들임으로써, 개인은 자기 삶에 대한 깊은 통찰력과 자기 결정권을 갖게 됩니다. 이러한 자기 인식은 내면의 균형을 찾고, 삶의 의미와 목적을 재정의하는 데 필수입니다.

스스로 생각하는 능력은 중년에 이르러 겪게 되는 여러 도전과 변화에 대처하는 데 필수입니다. 독립적인 사고는 외부의 영향으로부터 자유롭게 자신의 판단과 결정을 내리는 힘을 부여합니다. 이는 중년에 자주 발생하는 직업적 변화, 가족 관계의 변화, 그리고 개인적 성장과 관련된 다양한 문제를 해결할 때 중요한 역할을 합니다. 자기 내면과 진정한 가치에 따라 삶의 방향을 결정함으로써, 개인은 자신의 삶을 보다 의미 있고 충족되게 만들 수 있습니다.

중년이 스스로 사색하는 과정은 지적 호기심을 충족시키는 것 이상의 가치를 가집니다. 자신의 경험, 지식, 그리고 가치를 바탕으로 스스로 사색하고 결정하는 것은 자기 삶을 주도적으로 이끌어가는 힘을 키워줍니다. 이러한 자기 주도적인 삶은 외부 환경의 변화에 흔들리지 않는 내면의 강함과 유연함을 발전시킵니다. 또한, 스스로 사색하는 과정은 삶의 다양한 경험에서 깊은 의미와 교훈을 찾아내는 데 도움을 줍니다.

쇼펜하우어의 조언에 깊이 공감하며, 중년의 삶을 살아가는 이들에게 스스로 사색하는 삶의 중요성을 강조하고 싶습니다. 스스로 생각하고 판단하는 능력은 중년에 직면하는 다양한 변화와 도전 속에서 자신만의 길을 찾고, 자신의 삶을 주도적으로 이끌어가는 데 필수인 요소입니다. 이는 지적 활동에만 국한되지 않고, 자신의 가치관, 신념, 그리고 삶의 방향을 스스로 결정하는 데까지 이르는 광범위한 과정입니다.

1. 내면의 목소리에 귀 기울여라

중년이 자기 내면과 깊이 소통하는 시간을 갖는 것이 중요하다. 다양한 경험과 지식을 통해 습득한 외부의 목소리에 휘둘리지 않고, 자신만의 가치관과 신념에 기반하여 결정을 내림으로써, 자신의 삶을 주도적으로 이끌어 갈 수 있다.

2. 독립적인 사고로 결정하라

중년에는 삶의 경험을 통해 축적된 지혜를 바탕으로 독립적으로 사고하고 결정할 수 있는 능력을 갖추어야 한다. 타인의 의견이나 사회적 압박에 휩쓸리지 않고, 자신의 판단에 따라 행동함으로써, 자기 삶에 대한 책임감을 갖고 자유롭게 살아갈 수 있다.

3. 자기 자신을 신뢰하고 계발하라

중년은 자기 자신을 신뢰하고 지속적으로 계발해나가는 과정이어야 한다. 자신에 대한 신뢰는 내면의 힘과 자신감을 키우며, 새로운 도전에 대처하고 개인적 성장을 이루는 원동력이 된다. 스스로에 대한 신뢰와 자기 계발을 통해, 중년의 사람은 삶의 변화와 도전 속에서도 자신의 가치를 유지하고 발전할 수 있다.

오직 질문해야 산다

•
•
•

Schopenhauer

"고달프고 덧없는 인생이 쳇바퀴처럼 돌아간다. 날마다 우
리는 질문한다.

'왜 사는가?'

'무엇을 위해 사는가?'

'가치 있는 삶이란 무엇인가?'

'앞으로 어떻게 살아야 하는가?'

인간은 질문을 통해 살아가는 이유와 목적, 그 속에서 얻
어지는 의미와 가치를 추구한다."

　　　중년은 존재와 삶의 의미에 대해 깊이 사유하는
시기입니다. 쇼펜하우어가 말했듯이, 인간은 질문을 통해
살아가는 이유와 목적을 탐구하며, 그 속에서 의미와 가치

를 찾아갑니다. 중년은 삶의 경험과 지혜가 교차하는 시점
으로, 자신만의 답을 찾아가는 철학적 탐구가 필수입니다.

중년의 질문은 자기 성찰과 내면의 탐구를 촉진합니다.
"왜 사는가?", "무엇을 위해 사는가?"와 같은 근본적인
질문들은 삶의 궤적을 재검토하고, 자신의 존재와 행동의
근거를 되짚어 보는 계기를 제공합니다. 이러한 질문들은
단순히 삶의 목적을 찾는 것을 넘어, 자신의 가치와 신념
을 명확히 하고, 삶의 방향성을 재정립하는 데 중요한 역
할을 합니다.

중년은 삶의 여러 가지 변화와 도전에 직면하는 시기로,
철학적 탐구는 이러한 과정에서 의미와 방향을 제시합니
다. 철학은 인간의 삶과 존재에 대한 근본적인 질문을 다
루며, 이러한 질문을 통해 개인은 자신의 삶을 보다 깊이
이해하고, 삶의 질을 높이는 방향을 모색합니다. 중년에
철학적 탐구에 몰두하는 것은 자기 내면과 대화를 나누고,
삶의 본질에 대해 더 깊이 성찰하는 기회를 제공합니다.

중년의 질문은 단순한 의심이나 불확실성을 넘어, 삶을
재구성하는 도구가 됩니다. 자신에게 던지는 질문들은 삶
의 우선 순위를 재정렬하고, 진정으로 중요한 것이 무엇인

지를 재평가하는 데 도움을 줍니다. 이 과정에서 개인은 자기 삶에 대한 새로운 인식을 얻고, 보다 충실하고 의미 있는 삶을 추구할 수 있는 길을 발견합니다.

중년의 "오직 질문해야 산다"는 자신의 존재와 삶의 의미를 깊이 탐구하고자 하는 끊임없는 추구를 상징합니다. 질문을 통해 우리는 자신을 둘러싼 세계와의 관계를 재정립하고, 삶의 진정한 가치와 목적을 발견할 수 있습니다. 중년에 이르러서야 비로소 우리는 삶의 경험과 지혜로, 보다 깊이 있는 질문을 던질 준비가 되며, 이러한 질문들은 우리 자신과 우리 삶을 변화시키는 강력한 힘을 가집니다.

1. 자기 성찰로 삶을 재평가하라

중년에는 삶의 깊은 의미와 가치를 탐구하기 위해 자신에게 진지한 질문을 던지는 과정이 중요하다. 이는 "나는 무엇을 진정으로 원하는가?", "내 삶에서 가장 중요한 것은 무엇인가?"와 같은 질문을 포함할 수 있다. 자기 성찰을 통해 개인은 자신의 삶을 재평가해야 한다

2. 목적과 가치 중심의 삶을 추구하라

중년은 삶의 목적과 가치를 명확히 하고, 그것을 실현하기 위한 적극적인 노력이 필요한 시기다. "나는 어떤 가치를 창출하고 싶은가?", "내 삶의 목적은 무엇인가?"와 같은 질문으로, 개인은 자신만의 가치와 목적을 발견하고, 그것을 실현하기 위한 구체적인 행동을 취할 수 있다. 이 과정에서 개인은 자기 삶에 대한 책임감과 만족감을 느끼게 된다.

3. 지속적인 학습으로 성장하라

중년에는 꾸준히 학습하고 성장하는 태도가 중요하다. "나는 어떻게 더 나은 사람이 될 수 있는가?", "내가 배우고 싶은 새로운 것은 무엇인가?"와 같은 질문을 통해, 개인은 자신의 한계를 넓히고 새로운 가능성을 탐색할 수 있다. 지속적인 학습과 성장은 개인에게 새로운 기회를 제공한다.

당신의 인생은 선택의 결과다

.
.
.

Schopenhauer

"잘 선택하는 법을 배워라. 삶의 대부분은 선택에 달려 있다. 선택을 잘 하려면 훌륭한 취향과 올바른 판단력이 필요하다. 학식과 이성만으로는 부족하다. 잘 선택한다는 건, 스스로 선택하되 최고를 고르는 것이다. 그런데 생산적이고 기민한 정신, 예리한 이성, 학식과 사리분별력을 지닌 많은 사람들이 직접 선택한 결과로 인해 파멸한다."

　　"당신의 인생은 선택의 결과입니다." 이 단순하면서도 강력한 진리는 삶의 모든 단계에서 우리 앞에 놓인 결정들의 중요성을 상기시킵니다. 중년에 우리는 수많은 선택의 순간을 마주하며, 이 시기에 내리는 결정들은 더욱 중대한 결과를 가져다 줍니다. 쇼펜하우어의 조언처럼, 잘 선택하는 법을 배우는 것은 단순히 학식이나 이성을 넘어선, 훌륭한 취향과 올바른 판단력의 문제입니다.

중년은 삶의 여러 측면에서 전환점이 되는 시기입니다. 경력, 건강, 관계, 재정 등에서 내리는 결정들은 향후 수십 년간의 삶의 질과 방향을 형성합니다. 이 시기에는 이미 축적된 경험과 지식을 바탕으로 의사결정을 내려야 하지만, 동시에 변화하는 삶의 상황과 욕구에 대응해야 합니다. 쇼펜하우어의 조언대로, 잘 선택한다는 것은 자신의 삶을 주도적으로 이끌면서도 최선의 길을 선택하는 능력을 의미합니다.

훌륭한 취향은 개인의 가치관, 경험, 지식이 조화를 이루어 만들어집니다. 이는 단순히 미적인 측면에 국한되지 않고, 인생의 다양한 선택에 적용됩니다. 훌륭한 취향을 가진 사람은 자신에게 진정으로 중요한 것이 무엇인지를 알고, 그것을 선택하는 데 주저하지 않습니다. 한편, 올바른 판단력은 상황을 객관적으로 평가하고, 가능한 결과를 예측하여 최선의 결정을 내리는 능력입니다. 이는 학식과 이성, 그리고 인생의 경험에서 나오는 통찰력이 필요합니다.

쇼펜하우어는 학식과 이성만으로는 충분하지 않다고 말

합니다. 실제로, 많은 학식과 이성을 갖춘 사람들이 잘못된 선택으로 고통받는 경우를 우리는 종종 목격합니다. 이는 선택의 과정에서 더 깊은 인간적인 요소, 즉 감정, 직관, 가치관이 중요한 역할을 한다는 것을 시사합니다. 따라서 중년의 선택에서는 이성적 분석뿐만 아니라, 자신의 내면적 가치와 욕구에 귀를 기울이는 것이 중요합니다.

중년은 삶의 방향을 결정짓는 중요한 결정들을 내려야 하는 시기입니다. 쇼펜하우어의 조언처럼, 잘 선택하는 법을 배우는 것은 이 시기에 특히 중요합니다. 이는 단순한 지식의 축적이나 논리적 사고를 넘어서, 자신의 취향과 가치관, 그리고 감정과 직관을 이해하고 존중하는 데에서 비롯됩니다. 중년의 선택은 단순히 외부적인 성공을 추구하는 것이 아니라, 자신의 진정한 행복과 만족을 위한 길을 찾는 여정입니다.

Schopenhauer Insight

1. 자기 인식과 성찰이 중요하다

중년에는 자신의 삶을 돌아보고, 지금까지의 선택이 어떻게 현재의 자신을 만들어냈는지 성찰하는 시기다. 자기 인식을 높이고, 진정으로 중요하게 생각하는 가치와 목표가 무엇인지 이해하는 것이 중요하다. 이를 통해 앞으로의 선택이 더 의미 있고, 자신의 삶에 긍정적인 영향을 미치게 된다.

2. 훌륭한 취향과 올바른 판단력을 계발하라

쇼펜하우어는 훌륭한 취향과 올바른 판단력이 중요하다고 말한다. 중년에는 개인적인 경험과 지식을 바탕으로 자신만의 취향을 발전시키고, 상황을 객관적으로 평가하여 최선의 결정을 내릴 수 있는 판단력을 키우는 것이 중요하다. 이는 삶의 다양한 영역에서 현명한 선택을 하는 데 도움이 된다.

3. 학식과 이성을 넘어서는 지혜를 갖춰라

학식과 이성은 중요하지만, 쇼펜하우어는 이것만으로는 충분하지 않다고 강조한다. 중년에는 감정, 직관, 그리고 인간 관계에서 얻은 교훈을 포함하여, 더 깊은 지혜를 발전시킬 필요가 있다. 이러한 지혜는 복잡하고 어려운 결정을 내릴 때, 보다 폭넓은 관점에서 선택할 수 있게 해준다.

유쾌함은 재능이다

●
●
●

Schopenhauer

"유쾌함은, 절제가 된다면 흠이 아니라 재능이다. 유쾌한 기분은 줄줄이 전염된다. 위인들도 때때로 익살을 부리는데, 그러면 사람들이 좋아한다. 하지만 그때도 그들은 품위를 잃지 않고 예의를 지킨다. 또한 농담을 던져서 곤경에서 빨리 빠져나올 수도 있다. 때로는 가벼운 농담으로 받아넘길 일도 있기 때문이다. 누군가에게는 심각한 일일 수도 있겠지만. 이처럼 당신이 편안한 태도를 보이면 모두의 마 자석처럼 끌어당길 수 있다."

중년에 맞닥뜨리는 다양한 도전과 변화는 때로는 부담으로 다가올 수 있지만, 쇼펜하우어의 말처럼 '유쾌함'을 재능으로 활용한다면, 이는 삶의 질을 높이는 중요한 열쇠가 될 수 있습니다. 유쾌함이 절제되어 발현될 때, 그것은 단순한 성격의 특징을 넘어서 인간관계를 개선하고, 일상의 어려움을 가볍게 넘기는 힘이 생깁니다.

유쾌함은 사람들 사이의 장벽을 허물고, 긍정적인 에너지를 전파하는 매력적인 특성입니다. 중년의 삶에 유쾌함을 더하는 것은, 사회적 관계를 강화하고, 스트레스를 줄이며, 삶에 대한 만족도를 높이는 효과적인 방법입니다. 위인들조차도 적절한 시기에 익살을 부리며 사람들의 마음을 사로잡았다는 사실은, 유쾌함이 갖는 강력한 영향력을 잘 보여줍니다.

중요한 것은 유쾌함을 적절하게 조절하는 능력입니다. 모든 상황에서 무분별한 농담이나 경솔한 행동은 오히려 부정적인 결과를 초래할 수 있습니다. 쇼펜하우어가 언급했듯이, 유쾌함은 품위와 예의를 잃지 않는 선에서 발휘되어야 합니다. 이는 특히 중년의 사람들에게 중요한데, 그들은 종종 가정, 직장, 사회에서 책임감 있는 역할을 수행하기 때문입니다.

유쾌함은 때때로 곤경에서 벗어나는 데에도 도움이 될 수 있습니다. 가볍고 재치 있는 대응은 상대방을 무장해제시키고, 긴장된 분위기를 완화하여, 보다 건설적인 대화로 이끌기도 합니다. 따라서, 유쾌함은 단순한 성향이 아니라, 효과적인 의사소통 기술로서 중년에게 매우 가치 있는 자산이 됩니다.

쇼펜하우어가 말했듯이, 유쾌함은 절제가 되었을 때 진정한 재능으로 발휘될 수 있습니다. 따라서, 중년의 여러분, 유쾌함을 자기 삶 속에 적극적으로 끌어들임으로써, 주변 사람들과 더욱 긴밀한 관계를 맺고, 일상의 도전을 기쁨과 긍정의 힘으로 극복해 나가야 합니다. 유쾌함은 단순한 웃음 이상의 것, 즉 자신과 타인을 향한 이해와 배려의 표현입니다. 그것은 상호 존중과 긍정적인 대화를 촉진하는 도구이며, 때로는 어려운 상황을 가볍게 넘길 수 있는 지혜로운 전략이기도 합니다.

1. 유쾌함과 절제의 균형을 찾아라

유쾌함은 주변 사람들에게 긍정적인 에너지를 전파하고 관계를 강화하는 효과적인 도구가 될 수 있지만, 그것이 품위와 예의를 잃지 않는 선에서 발현될 때 가장 효과적이다. 따라서, 중년에는 유쾌함을 통해 긍정적인 분위기를 조성하면서도, 상황에 맞는 적절한 절제를 유지하는 것이 중요하다.

2. 긍정적인 태도로 어려움 대처하라

삶의 여러 도전과 어려움에 직면할 때, 유쾌한 태도와 가벼운 농담은 상황을 완화하고 긴장을 줄이는 데 도움이 된다. 중년은 스트레스와 압박감을 느낄 수 있다. 이때 유쾌함을 통해 상황을 긍정적으로 바라보고, 유연하게 대처하는 태도를 취함으로써, 더 효과적으로 문제를 해결하게 된다.

3. 유쾌함을 통한 사회적인 연결을 강화하라

중년은 때때로 고립감을 느끼는 시기이기도 하다. 유쾌한 사람은 자연스럽게 사람들을 끌어당기고, 긍정적인 관계를 형성하는 데 도움을 준다. 따라서, 유쾌함을 적극적으로 발휘함으로써 주변 사람들과의 연결을 강화하고, 사회적 네트워크를 확장하는 것이 중요하다. 이는 정서적 지지와 만족감을 증가시키고, 삶의 질을 높이는 중요한 요소가 된다.

지인의 결점에 익숙해져라

•
•
•

Schopenhauer

"지인의 결점에 익숙해져라. 특히나 서로 의지하고 있는 관계라면 반드시 그래야 한다. 성격이 고약하지만, 함께 살아가야만 하는 사람들이 있다. 그래서 영리한 사람들은 그 고약한 성격에 익숙해져 버린다. 못생긴 얼굴도 자꾸 보면 정들듯이 말이다. 그러니까 상황이 급박해서 어쩔 수 없이 참는다는 식으로 생각하지 않는다. 처음에는 물론 경악하겠지만, 점차 충격이 사라지면서 미리 숙고해서 불쾌감에 대비하거나 견딜 수 있게 된다."

쇼펜하우어의 조언처럼, 지인의 결점에 익숙해지는 것은 중년에 특히 중요한 덕목이 됩니다. 이는 단순히 타인을 용인하는 것 이상의 의미를 지니며, 우리 자신의 성숙함과 인간관계에서의 깊이를 더하는 과정입니다. 서로 의지하고 있는 관계에서 이러한 수용은 더욱 중요해지며, 이는 공존의 미학을 실천하는 것과도 같습니다.

중년에는 다양한 인간 관계에서 서로 다른 성격과 특성을 가진 사람들과 교류하게 됩니다. 이때 서로의 결점을 인정하고 받아들이는 것은 관계의 지속성과 질을 높이는 데 필수입니다. 결점을 받아들임으로써 우리는 타인에 대한 이해를 넓히고, 더 깊은 수준에서 연결을 경험할 수 있습니다. 이 과정에서 인내와 공감의 능력이 자라며, 이는 중년의 인간관계를 더욱 풍요롭게 만듭니다.

쇼펜하우어가 지적한 바와 같이, 처음에는 충격적일 수 있는 타인의 결점에 점차 익숙해지는 과정은 개인의 성장에 도움을 줍니다. 이 과정에서 중년의 사람들은 자신의 감정을 조절하고, 상황을 긍정적으로 해석하는 능력을 키울 수 있습니다. 이는 결국 자신의 정서적 안정성을 높이고, 삶의 다양한 상황에서 유연하게 대처하는 힘을 길러줍니다.

지인의 결점에 익숙해짐으로써, 중년의 사람들은 인간관계에서 더 큰 조화와 평화를 이룹니다. 이는 서로의 차이를 인정하고 존중하는 것에서 시작되며, 이는 건강한 관계를 유지하는 데 중요한 요소입니다. 타인의 결점을 수용하는 것은 결국 자신과 타인을 위한 배려이며, 이는 공동체 내에서 긍정적인 분위기를 조성하고, 서로를 지지하며 살아가는 문화를 만듭니다.

중년에 쇼펜하우어의 조언은 깊은 울림을 줍니다. 지인의 결점에 익숙해지는 것은 단순히 타인을 용납하는 것이 아니라, 자기 내면을 성찰하고 성숙시키는 과정입니다. 지인의 결점을 인정하고 받아들이는 것은, 결국 자신의 결점과 마주하고, 그것들을 극복하려는 노력의 일환입니다. 이 과정에서 자신감을 얻고, 인생의 후반기를 더욱 긍정적이고 활기차게 만들 수 있는 내적 힘을 발견하게 됩니다.

1. 수용과 이해하는 자세를 가져라

중년에는 인간관계의 복잡성을 인정하고, 타인의 결점을 이해하며 받아들이는 태도가 필요하다. 이는 상호 의존적인 관계에서 더욱 중요한데, 서로의 단점을 인식하고 이를 수용함으로써 관계의 안정성과 지속 가능성을 높일 수 있다. 이 과정에서 불필요한 갈등을 피하게 된다

2. 유연성과 적응성을 키워라

중년은 다양한 성격의 사람들과 상호작용하며 살아간다. 이때 타인의 결점에 대해 유연하고 적응적인 태도를 취하는 것이 중요하다. 쇼펜하우어가 언급한 것처럼, 처음에는 불편하거나 당황스러울 수 있는 타인의 특성에도 점차 익숙해지며, 이를 통해 관계 내에서 불쾌감과 충격을 줄이게 된다.

3. 성찰로 성장하라

타인의 결점에 익숙해지는 과정은 단순히 타인을 수용하는 것을 넘어, 자기 자신에 대한 성찰과 성장의 기회가 된다. 이는 중년에 자신의 가치관과 태도를 재검토하고, 더욱 성숙하고 포용적인 인간이 되는 데 도움을 준다. 이러한 내적 성장은 개인의 삶의 질을 높이며, 주변 사람들과의 관계에서도 긍정적인 영향을 미친다.

당신을 초라하게 만드는 사람과
어울리지 말라

•
•
•

Schopenhauer

"당신을 초라하게 만드는 사람과 어울리지 말라. 자질이 훌륭할수록 더 유명하다. 그 경우에 그가 항상 주역을 맡고 당신은 조역을 맡게 된다. 당신이 주목받을 때는 그가 없을 때 뿐이다. 달은 별들 사이에 홀로 있을 때 밝게 빛난다. 해가 나오면 달은 빛나지 않거나 보이지 않는다. 영악한 여신 파불라도 이런 식으로 군신에게 돋보일 수 있었다. 시녀들에게 다 추하고 허름한 옷을 입혔던 것이다."

중년에는 자기 정체성을 확립하고, 진정한 자기 가치를 인식하는 중요한 시기입니다. 쇼펜하우어의 조언처럼, 우리를 초라하게 만드는 사람들과의 관계를 재평가하는 것은 이 시기에 특히 중요합니다. 타인에 의해 자신의 가치가 폄하되는 것을 방지하고, 자신의 빛을 발할 수 있는 환경을 조성하는 것이 중년이 추구해야 할 중요한 목표입니다.

중년에는 자신의 강점과 약점을 더 잘 이해하게 됩니다. 이 시기에 자신을 초라하게 만드는 사람들로부터 거리를 두는 것은 자기 가치를 인식하고 존중하는 데 필수입니다. 자기 능력과 잠재력을 최대한 발휘하기 위해서는 긍정적이고 지지적인 관계를 유지하는 것이 중요합니다.

인간 관계에서 균형을 찾는 것은 중년의 삶에서 매우 중요합니다. 모든 관계에서 주인공이 될 필요는 없지만, 자신이 계속 조역으로 남아 타인의 그늘에 가려지는 상황을 피해야 합니다. 이는 자신의 개성과 능력을 발휘할 기회를 제한하고, 자신감과 자존감을 저하시킬 수 있습니다. 따라서, 서로를 존중하고 각자의 빛을 발할 수 있는 관계를 추구해야 합니다.

자신을 초라하게 만드는 사람들로부터 벗어나, 긍정적이고 지지적인 사람들과 어울리는 것은 중년의 삶을 더욱 풍요롭게 만듭니다. 이러한 환경은 개인의 성장과 발전을 촉진하고, 삶의 질을 높여줍니다. 또한, 긍정적인 관계는 우리가 직면하는 도전을 극복하는 데 필요한 지지와 격려를 제공합니다.

중년에는 자신을 초라하게 만드는 사람들과의 관계를 재평가하고 필요한 조정을 하는 것은 자기 존중의 중요한 표현입니다. 자신의 가치를 인식하고, 균형 잡힌 관계를 유지하며, 긍정적인 환경을 조성함으로써 우리는 진정으로 자신의 잠재력을 발휘하고 삶의 만족도를 높일 수 있습니다.

Schopenhauer Insight

1. 자신의 가치 인식을 깨닫고 존중하라

중년에는 자신의 가치와 잠재력을 충분히 인식하고 존중하는 것이 중요하다. 자신을 초라하게 만드는 사람들과의 관계를 통해 자신의 빛이 가려지는 것을 피하고, 자신의 강점과 능력을 최대한 발휘할 수 있는 환경을 조성해야 한다.

2. 긍정적인 관계를 구축하라

자신을 긍정적으로 바라보고 지지해주는 사람들과의 관계를 적극적으로 구축하고 유지하는 것이 중요하다. 이러한 긍정적인 관계는 자신감을 높이고, 개인적 성장을 촉진하며, 삶의 만족도를 향상시키는 데 기여한다.

3. 독립적인 자아를 실현하라

자신이 주목받고 자기 능력을 발휘하는 기회를 찾고, 타인의 그림자에 가려지지 않도록 자신만의 길을 추구하는 것이 중요하다. 자신의 목소리를 내고, 자신만의 성취와 성공을 추구함으로써, 진정한 자아 실현할 수 있다.

불행을 함께 짊어질 사람을 찾아라

.
.
.

Schopenhauer

"불행을 함께 짊어져줄 사람을 찾아라. 그러면 위험에 처하더라도 결코 외롭지 않고, 모든 증오를 혼자 떠맡지 않을 것이다. 지위가 높을 때 모든 성공의 영광도 홀로 누리다가, 나중에 모든 실패의 고통도 홀로 견뎌야 하는 경우가 있다. 그렇게 되면 딱히 미안한 사람은 없지만, 반대로 비난을 함께 견뎌줄 고마운 사람도 곁에 없는 것이다. 운명도 사람들도 두 명을 모두 공격하려면 힘에 부친다. (…) 고통의 무게는 나누는 것이다. 왜냐하면 혼자 있을 때 불행이 들이닥치면 두 배로 비참하고 힘겹기 때문이다."

　　　　중년에는 삶의 여러 변화와 도전을 맞이하는 시기로, 때로는 불행과 고통의 순간들을 마주하게 됩니다.

쇼펜하우어의 조언처럼, 이러한 시기에 곁에 불행을 함께 짊어질 수 있는 사람이 있다면, 삶의 어려움을 극복하는 데 큰 힘이 됩니다. 진정한 동반자의 존재는 위험과 증오, 실패의 순간에서도 우리를 외롭게 하지 않으며, 고통의 무게를 나누어 줍니다.

중년에는 동반자의 역할은 매우 중요합니다. 성공의 순간뿐만 아니라, 실패와 불행의 순간에도 함께할 수 있는 사람이 있으면, 삶의 부담이 크게 경감됩니다. 이러한 동반자는 친구, 배우자, 혹은 가까운 동료일 수 있으며, 그들의 존재는 우리가 어려움에 처했을 때 우리를 지탱해 주는 버팀목이 됩니다.

불행을 함께 짊어질 수 있는 사람은 우리의 고통을 이해하고 공감할 수 있는 능력을 갖추고 있습니다. 이러한 공감과 지지는 고통의 순간을 견디게 하는 힘을 제공하며, 우리가 느끼는 스트레스와 압박감을 줄여줍니다. 공감적인 관계는 정신적 건강을 보호하고, 회복력을 키우는 데 중요한 역할을 합니다.

동반자와 함께하는 삶은 질적으로 다릅니다. 우리의 경험은 공유되며, 기쁨은 두 배가 되고, 슬픔은 반으로 줄어

듭니다. 이러한 관계는 삶의 만족도를 높이고, 우리가 직면한 도전을 더 잘 극복할 수 있도록 돕습니다. 중년에 이러한 동반자를 찾고, 그들과의 관계를 강화하는 것은 삶의 질을 높이는데 필수입니다.

중년에게 불행과 고통의 순간들은 피할 수 없는 부분입니다. 그러나 우리 곁에 불행을 함께 짊어질 수 있는 동반자가 있다면, 이러한 순간들을 훨씬 더 잘 극복할 수 있습니다. 동반자의 존재는 우리의 고통을 분담하고, 삶의 어려움을 함께 견뎌내며, 우리를 결코 외롭게 하지 않습니다. 따라서, 중년에는 이러한 동반자를 찾고, 그들과의 관계를 소중히 여기며, 함께 삶의 여정을 걸어가야 합니다.

1. 동반자의 중요성을 인식하라

중년에는 삶의 불확실성과 도전이 증가함에 따라, 고통과 불행을 나눌 수 있는 동반자의 가치를 인식하는 것이 중요하다. 이는 친구, 배우자, 가족 구성원 또는 동료일 수 있으며, 이들과의 깊은 관계는 삶의 어려운 순간에도 견디는 힘을 제공한다.

2. 공감과 지지자를 구축하라

삶에서 불행과 어려움을 마주할 때, 혼자서 모든 것을 감당하는 대신 공감과 지지를 제공할 수 있는 사람들과의 관계를 구축하고 강화하는 것이 중요하다. 이러한 관계는 스트레스와 고립감을 줄이는 데 도움이 되며, 정신적 건강을 유지하는 데 필수다.

3. 서로 의지하고 지지하라

중년에는 서로를 위한 신뢰와 의지의 관계를 적극적으로 발전시키는 것이 중요하다. 이는 서로의 성공을 축하하고 실패를 함께 나누며, 삶의 부침을 함께 견뎌내는 과정에서 서로 부담을 줄이고 삶의 질을 높인다.

지식에는 용기가 더해져야 한다

·
·
·

Schopenhauer

"지식과 용기가 위대함을 낳는다. 그 두 가지는 불멸이기에 위대함도 사라지지 않는다. 사람은 자신이 아는 만큼할 수 있으므로, 현자는 모든 것을 할 수 있다. 하지만 지식이 없는 인간은 암흑 세계에 사는 것과 같다. 또한 지식과 용기는 눈과 손의 관계와 같다. 용기가 없는 지식으로는 아무것도 생산하지 못하는 것이다."

쇼펜하우어는 "지식과 용기가 위대함을 낳는다. 그 두 가지는 불멸이기에 위대함도 사라지지 않는다."라고 말했습니다. 이 말은 우리에게 지식과 용기가 얼마나 중요한지, 특히 중년에 있어서는 어떤 의미가 있는지를 깊이 생각하게 합니다.

우선, 지식과 용기의 결합이 어떻게 위대함을 낳는지 살펴보겠습니다. 지식은 우리가 세상을 이해하고 문제를 해결하는 데 필수 자원입니다. 중년에 도달한 사람들은 삶에서 다양한 경험을 통해 풍부한 지식을 축적해왔습니다. 이 경험을 통해 얻은 지식은 그 자체로 위대함을 창출하는 원천이 됩니다. 그러나 단순히 지식만으로는 충분하지 않습니다. 용기가 더해져야 이 지식이 현실에서 실현되고 새로운 가능성을 열어갈 수 있습니다.

중년은 종종 안정적인 삶의 모습을 유지하려는 경향이 있습니다. 그러나 이러한 안정성이 지식과 용기를 무시하고 현실의 제약에만 안주한다면, 그 안정성은 동시에 한계를 의미할 수 있습니다. 중년의 이 시기에 새로운 도전에 대한 용기를 발휘하면서, 지식을 활용하여 더 나은 방향으로 나아갈 수 있는 것입니다. 이는 자아실현과 성취감을 동시에 이룰 수 있는 중요한 단계입니다.

또한, 중년에는 자신의 지식을 다른 이들과 나누고 공유하는 것이 중요합니다. 쇼펜하우어는 "사람은 자신이 아는 만큼 할 수 있으므로, 현자는 모든 것을 할 수 있다."라고 말했습니다. 이 말은 자신의 지식을 다른 이들과 나누면서 새로운 아이디어를 얻고 발전할 수 있다는 의미를 내포하고 있습니다. 중년에 있어서는 미래를 위해 다른 세대와의 소통과 협력이 필수입니다.

한편, 지식과 용기의 관계는 눈과 손의 관계와도 유사합니다. 용기가 없는 지식은 마치 눈으로만 세상을 관찰하고 있는 것과 같습니다. 중년에 도전적인 상황에 맞서기 위해서는 용기가 필요하며, 이 용기는 지식을 실제로 손에 잡히는 형태로 구현하는 데 도움을 줍니다. 중년의 우리는 지식을 가지고 있는 상태에서 실제 행동으로 옮겨가는 용기를 발휘해야 합니다.

1. 자아실현을 위한 용기로 시작하라

중년에는 쌓아온 지식을 기반으로 자아를 실현하고자 하는 욕망이 강해진다. 이때 용기를 발휘하여 과거의 안정적인 모습에서 벗어나, 자신의 열망과 목표를 실현하는 새로운 도전에 나서야 한다. 새로운 직업에 도전하거나 취미를 추구하는 등의 활동으로 새로운 가능성을 모색할 수 있다.

2. 타인과 소통으로 지식 공유와 협력 강조하라

중년은 지식이 축적된 시기이기도 하다. 이때 지식은 고유하며 가치가 있다. 중년은 자신의 경험과 지식을 주변 사람들과 나누고 공유하는 과정에서 삶의 풍요로움을 높일 수 있다. 타인과 소통하고 협력하는 과정에서 새로운 아이디어를 얻게 된다.

3. 용기를 발휘하여 적극적인 태도를 유지하라

중년에는 삶의 다양한 측면에서 변화가 발생합니다. 가족, 직장, 건강 등에서 변화에 대한 용기를 발휘하면서 긍정적인 적응력을 유지해야 한다. 변화에 대한 두려움을 극복하고 긍정적인 마인드를 유지하면, 중년은 새로운 도전과 경험을 통해 더욱 풍성하고 의미 있는 삶을 살아갈 수 있다.